365일 영어 스피킹 챌린지

이현석의

입트영

이
티
영

이
이는
어

일력

EBS FM 이 ...   자!
명품 표현을 ...

KB024123

EBS BOOKS

저자 소개

★ ★ ★

이현석

영어 방송인, 학원인, 동시통역사. 사범대를 졸업하고, 더 나은 선생님이 되기 위해 미국 몬트레이 통번역대학원에서 동시통역(국제회의) 석사를 취득하였으며, 그 후 한국에 돌아와서 영어교육 박사과정을 밟았다.

그 후 TV, 라디오를 종횡무진하며, 지난 17년간 EBS의 간판 프로그램의 진행을 맡았고, 지금까지 진행한 EBS 방송 횟수만 10,000회가 넘는 전무후무한 기록을 가지고 있다.

EBS TV [생활영어] 집필 및 진행, EBS FM 생방송 [Morning Special] 진행, EBS FM 생방송 [English Go Go] 진행, EBSe TV [매일 10분 영어], JEI English 재능영어 [무한감동 스피킹] 등의 방송을 거쳐, 현재 EBS FM [입이 트이는 영어]와 [귀가 트이는 영어]의 집필과 진행을 담당하고 있다. 지금까지 집필한 EBS 어학 월간 교재는 210여 권, 누적 판매는 180만 권에 달한다.

또한 영어 말하기 시험 영역이 오픽에서 가장 오랜 기간 대표성을 가진 강사로서, 현재 파고다어학원 대표 강사 (오픽, 토익스피킹), 퀠슨 리얼클래스 오픽, 멀티캠퍼스 오픽 대픽 대표 강사로도 활동 중이다.

이현석의 입이 트이는 영어 일력

1판 1쇄 발행 2022년 11월 25일
1판 2쇄 발행 2022년 12월 23일

지은이 이현석
펴낸이 김유열

지식콘텐츠센터장 이주희 | **지식출판부부장** 박혜숙 | **지식출판부 기획** 장효순, 최재진
마케팅 최은영, 이정호 | **제작** 윤석원 | **북매니저** 이민애, 윤정아, 정지현
감수 Jennifer Clyde | **책임편집** Amy | **디자인** 싱아 | **인쇄** 동아출판(주)

펴낸곳 한국교육방송공사(EBS)
출판신고 2001년 1월 8일 제2017-000193호
주소 경기도 고양시 일산동구 한류월드로 281
대표전화 1588-1580
홈페이지 www.ebs.co.kr
전자우편 ebs_books@ebs.co.kr

ISBN 978-89-547-7105-4 (12740)

프롤로그

* * *

EBS FM 어학 방송 대표 스피킹 프로그램의
명품 표현을 하루 한 문장씩 보고, 듣고, 말하며 익히자!

100% 여러분 사연을 기반으로 하는 입트영에는 매일 주옥같은 영어 표현들이 수십 개씩 쏟아져 나옵니다! 이 중에서 최고의 명품 표현들을 꾸준히 모아서 아카이브를 만들어 가고 있어요. 벌써 수천 개에 달하는 이 명품 표현과 문장들을 어떻게 여러분께 드릴까 고민하던 중, EBS 지식출판부에서 달력 형태의 "입트영 일력"을 제안해 주셨어요!

일력의 취지는 말 그대로 달력처럼 365일 하루에 1개의 표현 학습을 하는 데 있습니다. 하루에 수십 개의 표현을 익히되, 정말 1개만큼은 반드시 본인이 쓸 수 있게 전방배치를 하는 표현으로 각인하고 연습을 여러 차례 하는 것이 목표입니다. 일상생활에서 영어를 사용하지 않는 ESL 환경인 우리나라에서는 표현 암기를 수없이 해도, 며칠만 지나면 일부를 잊어버리고, 한 달이 지나면, 상당 부분 유실이 됩니다. 그래서 하루 1개 표현이라도 영원히 사용할 수 있게 특별한 노력을 들이는 선택과 집중 학습은 특히 말하기, 쓰기를 하기 위한 표현력 늘리기에 좋은 현실적인 방법이라는 생각을 해 봅니다.

필자인 저도, 하루에 많게는 50여 개의 새로운 표현을 접할 때도 있지만, 몇 개월 뒤에 실제 머리에 남아 있는 것은 극히 일부에 불과합니다. 그러니 말하기, 쓰기에서 사용할 가능성은 거의 0%에 가깝습니다. 그러한 점에서 이러한 선택과 집중을 통해 엄선된 표현을 1일 1표현으로 각인하는 것은 우리 머리에 더 오래 남게 하고, 실제 쓸 수 있게 연습하는 방법일 수 있습니다.

pack my own lunch

도시락을 직접 준비하다

**I pack my own lunch
and bring it to work.**

나는 도시락을 직접 싸서, 회사에 가져간다.

 강세·청킹 낭독 가이드

I **pack** my own **lunch** /
and **bring** it / to **work.**

입이 트이는 영어 일력, 이렇게 활용해보세요

매년 입트영 월간지는 12권이 출간이 됩니다. 자매 프로그램인 귀트영까지 포함하면 연간 24권의 책이 나오고, 수천 개의 표현이 사용됩니다. 특히 영어는 여러 단어 조합으로 새로운 의미를 파생시키는 특징을 가지고 있는 언어인데요, 이러한 것을 용어로는 collocation이라고 부릅니다. 이러한 collocation을 이해하고 사용할 수 있게 하는 것은 영어 실력 배양에 매우 중요한 핵심입니다.

이 책의 활용법을 안내해 드리자면, 우선, 365일 매일 1개의 표현을 완전히 자기것을 만들겠다는 의지를 다져주세요. 연초인 1월 1일 시작해서 연말인 12월 31일에 365개를 끝내면 가장 좋겠지만, 어느 시점에 시작해도 그 시점으로부터 365일 계속하면 되니, 크게 문제가 되지는 않을 듯합니다.

다음으로 해당일의 표현을 보고, 의미를 파악한 후에 어느 상황에 쓸지 우리말 뜻풀이를 보면서 이해해 주세요. 주어진 예문에서 의미 파악을 하고, QR코드를 이용해서 제니퍼 선생님의 음원을 들어주세요. 바로 아래 나온 강세/청킹(끊어 읽기) 가이드를 보고 어디에 힘을 실어주고, 어디서 끊어 읽어야 하는지를 음원을 들으면서 파악해 주세요. 제니퍼 선생님이 한 번은 천천히, 한 번은 자연스러운 속도로 읽어 주셨습니다! 들으면서 따라 하시면 금상첨화입니다.

다음은 낭독 단계입니다. 표현의 한국어 뜻 > 영어 순으로 크게 읽어주세요. 최소 5회를 추천드립니다. 그리고 나서는 강세/청킹(끊어 읽기) 가이드 문장을 보고 한국어 뜻 1회 > 영어 문장 10회를 낭독해 주세요. 조금씩 속도를 높이며 낭독을 하셔도 됩니다. 그리고 나서는 문장을 보지 않은 상태에서 그 문장이 나오는지 확인하고, 10회를 더 크게 낭독해주세요. 이렇게 총 20회의 낭독을 통해서, 완전히 그 문장이 머릿속에 각인을 하게 하는 것입니다. 그리고 그 낭독하는 음성을 녹음해서 음원으로 제작하고, 영상에 입혀서 영상으로 제작을 해 놓으면 더 좋습니다. 이 모든 것을 하는데, 10

take a lot of work

많은 노력이 필요하다 / 손이 많이 가다

Raising a dog
takes a lot of work.

개를 키우는 것은 손이 많이 간다.

 강세·청킹 낭독 가이드

Raising a **dog** /
takes a **lot** of **work.**

분~20분 정도 밖에 소요되지 않습니다. 그 10분이라는 시간 동안 명품 표현 1개가 평생 사용할 수 있는 표현이 된다면 정말 값진 투자가 될 수 있습니다!

영어낭독 365 챌린지

아무리 학습법이 좋아도, 아무리 책이 좋아도, 아무리 취지가 좋아도, 연초에 의지를 가지고 시작한 영어 공부 프로젝트들이 몇 주 지나지 않아서, 중단되는 경우가 참 많습니다. 그래서 이것을 꼼꼼한 관리가 있는 챌린지 형태로 진행을 하게 되면, 꾸준히 지속할 가능성이 높습니다. 실제 이러한 단체 챌린지들이 많은 호응을 얻은 것은 완주율이 혼자 할 때나 소규모 모임으로 할 때보다 더 높게 나오는 경우가 많기 때문입니다.

이미 입트영/귀트영 월간지와 입트영 단행본을 이용한 내에 챌린지들이 여러 가지 형태로 진행이 되고 있습니다. 스스로 자발적으로 진행하는 자율형 챌린지도 있고, 관리와 피드백을 받을 수 있는 구독형 챌린지도 있습니다. 이 입트영 일력도 낭독 챌린지 형태로 진행을 할 예정입니다! 일일 1표현, 1문장 낭독을 해서 음원으로 제작해서 인스타에 올리는 챌린지입니다. 구독형 챌린지는 1월 1일 시작해서, 12월 31일 끝나는 일정으로 진행이 됩니다. 참여를 원하시는 경우, 현석샘 인스타그램 프로필에 있는 링크를 클릭해 주시면 됩니다.

이현석 인스타그램
@hyunsuk.opic

become
a way of life

생활화되다 / 삶의 일부가 되다

**Wearing a mask during
the pandemic** was a way of life.

팬데믹 기간 중 마스크를 쓰는 것은
익숙한 삶의 일부였다.

 강세·청킹 낭독 가이드

Wearing a **mask** /
during the **pandemic** / was a **way of life**.

JANUARY

be cooped up
(답답하게) 실내에 틀어박혀 있다

I was cooped up
at home all weekend.

나는 주말 내내 집에서 방콕했다.

 강세·청킹 낭독 가이드

I was cooped up / at home /
all weekend.

crack up
빵터지다/크게 웃다

My kids crack up when I make a funny noise.

내가 웃긴 소리를 내면 아이들이
까르르 하고 크게 웃는다.

 강세·청킹 낭독 가이드

My **kids** / crack **up** /
when I **make** / a funny noise.

be worth a shot

해볼 만한 가치가 있다

I think it is worth a shot.

내 생각에는 해볼 만한 가치가 있는 것 같아.

 강세·청킹 낭독 가이드

I think / it is worth / a shot.

get some sun

햇빛을 쬐다/햇빛을 쐬다

I want to step out for a while to get some sun.

나 잠시 밖에 나가서
햇빛 좀 쐬고 싶어.

 강세·청킹 낭독 가이드

I want to step out /
for a while / to get some sun.

have no choice but to

~ 할 수밖에 선택의 여지가 없다

I had no choice
but to **cancel the order.**

주문을 취소하는 것 외에는 선택의 여지가 없었어.

 강세·청킹 낭독 가이드

I had **no** choice /
but to cancel / the order.

take a tumble

넘어져서 구르다

I took a tumble
while I was walking down the stairs.

나 계단을 내려오다가 넘어져 굴렀어.

강세·청킹 낭독 가이드

I took a tumble /
while / I was walking down / the stairs.

get my thoughts in order

생각을 정리하다

It was not easy to get my thoughts in order.

내 생각을 정리하는 것이 쉽지 않았다.

 강세·청킹 낭독 가이드

It was **not** / **easy** /
to **get** my **thoughts** / in order.

make a speedy recovery

빨리 낫다 / 쾌유하다

I really hope
that you can make a speedy recovery.

빨리 나으시기를 정말 바래요.

 강세·청킹 낭독 가이드

I really hope /
that you can **make** / a **speedy** recovery.

heavy workload

과도한 업무량 / 과도한 학업량

Many students get stressed because of the heavy workload.

많은 학생들이 학업량이 워낙 많아서 스트레스를 받는다.

 강세·청킹 낭독 가이드

Many students / get **stressed** /
because of the **heavy** / **workload**.

in-patient treatment

입원 치료

I had to get in-patient treatment **at a hospital for two weeks.**

나는 2주간 병원에서
입원 치료를 받아야 했다.

 강세·청킹 낭독 가이드

I **had** to get / in-patient **treatment** /
at a **hospital** / for **two** weeks.

be at odds with

~와 대립하다 / 의견 충돌이 있다

We are always at odds with each other.

우리는 항상 서로 티격태격한다.

 강세·청킹 낭독 가이드

We are always / at odds /
with each other.

good luck charm

행운의 부적/징표

I carry it around as a good luck charm.

나는 그것을 행운의 부적으로 들고 다닌다.

 강세·청킹 낭독 가이드

I carry it around / as a good luck charm.

be left out

소외되다, 뒤쳐지다

**FOMO refers to the fear
of being left out.**

FOMO(포모)는 소외될 것 같은 두려움을 지칭한다.

 강세·청킹 낭독 가이드

FOMO / refers to the fear /
of being left out.

safe and sound

무사히

**Fortunately, I got back home
safe and sound.**

다행이도 나는 집에 무사히 잘 도착했다.

 강세 · 청킹 낭독 가이드

Fortunately, / I got back **home** /
safe and **sound.**

pick up a language
언어를 습득하다

Kids can pick up a language faster than adults.

아이들은 성인들에 비해 언어 습득 속도가 빠르다.

 강세·청킹 낭독 가이드

Kids can pick up / a language /
faster than adults.

have a hard time

고생하다

**I had a hard time
while I was on prescription meds.**

처방약을 복용하는 동안
나는 고생했다.

 강세·청킹 낭독 가이드

I **had a hard** time /
while I was on / prescription meds.

earn a tidy profit

제법 큰 수익을 보다

You can earn a tidy profit
by reselling things.

물건을 되팔아서 제법 큰 수익을 볼 수도 있다.

 강세·청킹 낭독 가이드

You can **earn** / a **tidy** profit /
by re<u>se</u>lling things.

a natural talent for drama

타고난 연기 재능

Many children tend to have
a natural talent for drama.

많은 아이들은
타고난 연기 재능이 있는 경우가 있다.

 강세·청킹 낭독 가이드

Many children / **tend** to have /
a natural talent / for **drama**.

break out of one's comfort zone

안전지대를 벗어나다

I want to break out of my comfort zone.

나만의 안전지대를 벗어나서 도전하고 싶어!

🎤 강세·청킹 낭독 가이드

I want to break **out** / of my **com**fort zone.

feel daunting

부담스러워서 엄두가 나질 않다

A new challenge in life can feel daunting at first.

인생의 새로운 도전은
처음에는 엄두가 나지 않을 수도 있다.

 강세·청킹 낭독 가이드

A new challenge / in life /
can feel daunting / at first.

DECEMBER 18

written exam

지필고사

**You have to take
a** written exam **first.**

먼저 지필고사를 봐야 합니다.

 강세·청킹 낭독 가이드

You **have** to **take** /
a **written** exam / **first.**

jump straight into

~으로 곧장 뛰어들다

Explore the characters in a book instead of jumping straight into a drama activity.

곧장 연기에 돌입하기보다
책 안의 등장인물들에 대한 탐구를 먼저 하세요.

🎤 강세·청킹 낭독 가이드

Explore the characters / in a book
/ instead of / jumping straight into / a drama activity.

DECEMBER 17

make me choke up

가슴이 먹먹해지다, 울컥하게 만들다

His letter
made me choke up.

그의 편지는 내 가슴을 먹먹하게 만들었다.

🎤 강세·청킹 낭독 가이드

His letter / made me / choke up.

a tricky business

까다로운 일

**Buying healthy eggs can be
a tricky business.**

건강에 좋은 계란을 사는 것은
까다로운 일일 수 있다.

 강세·청킹 낭독 가이드

Buying **healthy** eggs /
can be a **tricky** / **business**.

grow worse by the day

날이 갈수록 악화되다

The fine dust issue is growing worse by the day.

미세먼지 문제는 날이 갈수록 악화되고 있다.

 강세·청킹 낭독 가이드

The fine dust issue /
is growing worse / by the day.

humane eggs

동물복지란

I try to shop for humane eggs when I get groceries.

나는 장을 볼 때
동물복지란을 사려고 노력한다.

 강세·청킹 낭독 가이드

I try to shop for / humane eggs /
when I get groceries.

leave of absence

휴직

I applied for a year-long
leave of absence.

나는 1년 휴직계를 냈다.

 강세·청킹 낭독 가이드

I applied / for a year-long /
leave of absence.

your next best bet

차선책

**If those aren't available,
go with your next best bet.**

그것을 구할 수 없다면,
차선책을 선택하세요.

 강세·청킹 낭독 가이드

If those **aren't** / available, /
go with your **next** / **best** bet.

no easy task

만만치 않은 일

Raising a child is no easy task.

아이를 키우는 것은 만만치 않은 일이다.

 강세·청킹 낭독 가이드

Raising a **child** / is **no** / easy **task**.

have lasting effects

여파가 꾸준히 지속되다

Knee injuries can have lasting effects.

무릎 부상은 그 여파가 꾸준히 지속될 수 있다.

 강세·청킹 낭독 가이드

Knee injuries / can have / lasting effects.

ETA - estimated time of arrival

도착 예상 시간

Bus stops show the ETA for each bus.

버스 정류장들에는 각 버스의 도착 예상 시간이 나와 있다.

 강세·청킹 낭독 가이드

Bus stops / show the ETA / for each bus.

a detailed itinerary

상세한 일정

It is good to have a detailed itinerary
when you go on a business trip.

출장을 갈 때는
상세한 일정을 짜서 가지고 있는 것이 좋다.

 강세 · 청킹 낭독 가이드

It is **good** / to **have** a de**tai**led i**ti**nerary
/ when you **go** / on a **bu**siness trip.

its own
unique charm

그것만의 독특한 매력

Radio has its own unique charm.

라디오는 그것만의 독특한 매력을 가지고 있다.

 강세·청킹 낭독 가이드

Radio / has its **own** / unique **charm**.

a day off

쉬는 날

We have a day off this week, thanks to the presidential election.

이번 주는 대통령 선거 덕분에
쉬는 날이 하루 있다.

 강세·청킹 낭독 가이드

We **have** a day **off** / this **week**, /
thanks to / the presi**den**tial election.

make up my mind

마음먹다, 결정을 내리다

It is hard to make up my mind.

마음의 결정을 내리기 어려워.

 강세·청킹 낭독 가이드

It is **hard** / to make **up** / my **mind**.

flip through

넘겨가며 훑어보다

I flip through a book
before I buy one at a bookstore.

서점에서 책을 사기 전에
먼저 넘겨가며 훑어본다.

 강세·청킹 낭독 가이드

I flip through a book /
before I buy one / at a bookstore.

come to an end

종식되다, 막을 내리다

**This project
will soon** come to an end.

이 프로젝트는 조만간 마무리 될 예정이야.

 강세 · 청킹 낭독 가이드

This project /
will **soon** / **come** to an **end**.

get hung up on

~에 연연하다, 집착하다

It's not good to get hung up **on** such small things

그런 작은 일들에 너무 연연하는 것은 좋지 않아.

 강세 · 청킹 낭독 가이드

It's **not** good / to **get** hung **up** /
on such **small** things.

unbelievable sight

상상을 초월하는 광경, 장관

The sunset
was an unbelievable sight.

노을이 지는 모습은
정말 상상을 초월하는 광경이었어.

🎤 강세·청킹 낭독 가이드

The sunset / was an unbelievable / sight.

a bridge day
샌드위치 데이

**If you take a bridge day off,
you can enjoy a long weekend.**

샌드위치 데이에 휴가를 내면,
긴 연휴 주말을 즐길 수 있다.

 강세·청킹 낭독 가이드

If you **take** / a **bridge** day **off**, /
you can en**joy** / a **long** weekend.

get goosebumps

소름이 돋다, 닭살이 돋다

**I get goosebumps
when I listen to that song.**

나는 저 노래를 들으면 소름이 돋아요.

 강세·청킹 낭독 가이드

I get **goose**bumps/
when I **listen** / to that **song**.

less of a burden

부담이 덜 되는

The tuition fees are low,
so there is less of a burden.

등록금이 낮아서, 부담이 덜 하다.

 강세·청킹 낭독 가이드

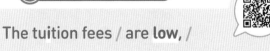

The tuition fees / are **low**, /
so / there is **less** / of a **burden**.

die-hard fan

골수팬, 열성팬

**I am a die-hard fan
of this radio program.**

나는 이 라디오 프로그램이 너무 좋아요!

 강세·청킹 낭독 가이드

I am a **die-hard fan** /
of this **radio** program.

it takes a lot of work

많은 노력이 요구된다

It takes a lot of work
to become an expert in something.

무엇인가에 전문가가 되기 위해서는
많은 노력이 필요하다.

 강세 · 청킹 낭독 가이드

It takes a **lot** of **work** /

/ to be**come** an **expert** / in **some**thing.

the green light

승인, 허가, 허락

Some countries
have given it the green light.

일부 국가는 그것을 승인 내린 상태이다.

 강세 · 청킹 낭독 가이드

Some countries / have **given** it /
the **green** light.

line of work

직종, 종사하는 분야

If you don't mind me asking, what line of work are you in?

혹시 물어봐도 실례가 안 된다면,
하시는 일이 어떻게 되세요?

 강세·청킹 낭독 가이드

If you **don't** / mind me **asking**, /
what line of **work** / are you **in**?

be on the verge of

~할 찰나에 있다

Bitcoin is on the verge of
being formally accepted.

비트코인은 정식으로 제도권 진입을 앞두고 있다.

 강세·청킹 낭독 가이드

Bitcoin / is on the **verge** /
of being **formally** / accepted.

brush up on

실력을 갈고 닦다, 연마하다

I feel the need to brush up on **my communication skills.**

나는 소통능력을
조금 더 개선해야 할 필요성을 느껴.

 강세·청킹 낭독 가이드

I **feel** the **need** / to brush **up** /
on my communi**ca**tion skills.

get fogged up

김이 서리다

My glasses get fogged up when I wear a mask.

마스크를 쓰면 안경에 김이 서려.

 강세·청킹 낭독 가이드

My glasses / get fogged up /
when I wear / a mask.

few and far between

매우 드문

Long weekends are few and far between**.**

긴 연휴 주말은 자주 오는 것이 아니다.

 강세·청킹 낭독 가이드

Long weekends / are **few** and **far** between.

tradeoff

반대급부 / 대가 / 얻으면 잃게 되는 것

There is always a tradeoff.

항상 반대급부가 있어. /
항상 얻는 게 있으면 잃는 게 있어.

 강세·청킹 낭독 가이드

There is always / a tradeoff.

is long overdue

해야 할 시기가 한참 지난

Our balcony is long overdue
for a cleaning.

우리 베란다는 청소해야 할 시기가 한참 지났다.

 강세·청킹 낭독 가이드

Our balcony / is **long** overdue /
for a **clean**ing.

be cut out for the job

적성에 딱 맞다

I think I am cut out for the job.

그 일은 내 적성에 딱 맞는 것 같아.

 강세·청킹 낭독 가이드

I think / I am cut **out** / for the **job**.

without a second thought

고민도 없이

I was surprised that he decided
without a second thought.

그가 고민도 없이 결정을 내려서 놀랐어.

 강세·청킹 낭독 가이드

I was surprised /
that he decided / without a second thought.

only look out for themselves

자기밖에 모르다 / 이기적이다

I don't like people who
only look out for themselves.

나는 자기 밖에 모르는 사람들을 좋아하지 않아.

 강세·청킹 낭독 가이드

I don't / like people /
who only / look out / for themselves.

in the mood for
~하고 싶은 기분이다

I am in the mood for **some wine.**

와인 한잔하고 싶은 기분이야.

 강세·청킹 낭독 가이드

I am in the **mood** / for some **wine.**

12

DECEMBER

get out of hand

걷잡을 수 없이 되다

I hope the problem doesn't
get out of hand.

그 문제가 손쓸 수 없을 정도로 커지지 않았으면 좋겠어.

 강세·청킹 낭독 가이드

I hope / the problem doesn't /
get out of hand.

rough it out
힘겹게 버텨내다

I had to rough it out
in the bathroom.

화장실에서 힘겹게 버텨내야 했어요.

 강세·청킹 낭독 가이드

I had to / rough it out /
in the bathroom.

keep up with

뒤쳐지지 않고 따라가다

It's not easy to keep up with **the coursework.**

교과과정을 따라 가는 것은 쉽지는 않다.

 강세·청킹 낭독 가이드

It's **not** easy / to keep **up** /
with the **course**work.

go nuts

난리가 나다 / 좋아서 날뛰다

Dogs go **nuts**
when you pick up the leash.

목줄을 들기만 하면 개들은 난리가 난다.

 강세·청킹 낭독 가이드

Dogs go **nuts** / when you pick **up** /
the **leash**.

can be challenging

만만치 않을 수 있다

Correcting a misunderstanding
can be challenging **at times.**

오해를 바로잡는 것은
때로는 쉽지 않을 때가 있다.

 강세·청킹 낭독 가이드

Correcting / a misunderstanding /
can be challenging / at times.

my lease is up

임대계약이 만료되다

I cancelled the contract before my lease was up.

임대 기간이 만료되기 전에
계약을 파기했다.

 강세·청킹 낭독 가이드

I cancelled the **contract** /
before my **lease** / was **up.**

2

FEBRUARY

right to your door
바로 현관 앞까지

They deliver your order
right to your door.

주문한 것을 바로 현관문 앞까지 배달해 준다.

 강세·청킹 낭독 가이드

They deliver your **order** /
right / to your **door**.

stay in touch with
~와 연락하며 지내다

Staying in touch with overseas friends has become easier now.

이제는 해외에 있는 친구들과
연락하고 지내는 것은 쉬워졌다.

 강세·청킹 낭독 가이드

Staying in **touch** / with overseas friends / has become easier / **now.**

the very next morning

바로 다음 날 아침에

The groceries are delivered
the very next morning.

식료품이 바로 다음날 아침에 배달이 된다.

 강세 · 청킹 낭독 가이드

The **groceries** / are delivered /
the **very** next **morning**.

come to an end

종식되다

**Once the pandemic comes to an end,
we can take off our masks.**

팬데믹이 종식이 되면,
우리는 마스크를 벗을 수 있다.

🎤 강세·청킹 낭독 가이드

Once / the pandemic /
comes to an end, / we can take off / our masks.

be really into

~에 심취하다, 빠져 있다

I am really into yogurt these days.

나는 요즘 요거트가 너무 좋아. (1일 1요거트야 ㅋㅋ)

 강세·청킹 낭독 가이드

I am really / into yogurt / these days.

fog up

김이 서리다

Wearing a mask feels stuffy
and fogs up my glasses.

마스크를 쓰면 답답하고
안경에 김이 서린다.

 강세·청킹 낭독 가이드

Wearing a **mask** / feels **stuffy** /
and fogs **up** / my **glasses**.

eat my fill

실컷 먹다, 배불리 먹다

I used to eat my fill
for every meal.

나는 매번 밥을 배부를 때까지 먹던 경향이 있었다.

 강세·청킹 낭독 가이드

I **used** to / eat my **fill** /
for every **meal**.

force a smile

억지로 웃다

You don't need to force a smile
in front of people.

사람들 앞에서
억지로 웃을 필요가 없다.

 강세 · 청킹 낭독 가이드

You **don't** need to / **force** a **smile** /
in **front** of **people.**

have its pros and cons

일장일단이 있다

Every place
has its pros and cons.

어느 곳이나 일장일단이 있게 마련이다.

 강세·청킹 낭독 가이드

Every place / has its **pros** / and **cons**.

feel elated

설레이다, 들뜨다

I feel elated because it feels like I'm in college again.

다시 대학생이 된 것 같아서 설레인다.

 강세·청킹 낭독 가이드

I feel elated / because it **feels** like / I'm in **college** / again.

have a soft spot for

(좋아서) 마음이 약해지다

I have a soft spot
for **ice cream.**

나는 아이스크림 하면 마음이 약해져.

 강세·청킹 낭독 가이드

I have a **soft** spot / for **ice** cream.

door ding / door-ding

문콕/문콕하다

I hate it when I get a door ding.
I accidentally door-dinged a car.

문콕 자국이 나면 너무 싫어.
나 실수로 다른 차에 문콕 했어.

 강세 · 청킹 낭독 가이드

I **hate** it / when I **get** / a **door** ding.
I acci**den**tally / **door-dinged** / a **car**.

have a craving for

막 당기다, 먹고 싶은 상태이다

I often have a craving for
a late-night snack.

밤늦게 간식이 막 당기는 경우가 자주 있어.

 강세·청킹 낭독 가이드

I **often** / have a **craving** /
for a **late**-night snack.

leave in neutral

중립에 놓다

Make sure to leave your car in neutral when you double park.

이중 주차를 할 때는
반드시 기어를 중립에 놓으세요.

 강세·청킹 낭독 가이드

Make sure / to leave your car /
in neutral / when you double park.

pass with flying colors

(뛰어난 실력으로) 수월하게 통과하다

She passed the test with flying colors.

그녀는 시험을 매우 수월하게 통과했다.

 강세·청킹 낭독 가이드

She passed the test /

with flying colors.

spill over
넘치다, 침범하다

I hate drivers who spill over **into other spaces.**

옆자리 침범해서 주차하는 운전자들 너무 싫어!

 강세·청킹 낭독 가이드

I **hate** drivers / who **spill** over /
into **other** spaces.

be pent up

(감정, 욕구가) 억눌리다

People's urge to gather with friends was pent up.

친구들 만나서 어울리고 싶은
사람들의 욕구가 억눌려 있었다.

 강세·청킹 낭독 가이드

People's **urge** /
to **gather** with **friends** / was pent **up**.

good read

괜찮은 읽을거리, 좋은 책

I can recommend some good reads for you and your child.

당신과 아이가 읽을 수 있는 좋은 책들을
추천해줄 수 있어요.

 강세·청킹 낭독 가이드

I can recom**mend** / some **good** reads
/ for **you** / and your **child**.

splurge on something

(굳이 필요 없는 것에) 돈을 많이 쓰다

It's okay to splurge on things from time to time.

가끔씩은 뭔가에
큰마음 먹고 돈을 써보는 것도 나쁘지 않다.

 강세 · 청킹 낭독 가이드

It's okay / to splurge on things /
from time to time.

job postings
채용공고

Why don't you take a look at the job postings?

채용공고 한번 살펴보지 그래?

 강세·청킹 낭독 가이드

Why don't you take a look /
at the job postings?

immerse oneself in

~에 몰입하다 / 심취하다

I immerse myself in English every morning.

나는 매일 아침에 영어에 완전히 몰입한다.

🎤 강세·청킹 낭독 가이드

I immerse myself / in English /
every morning.

get certified online

온라인상에서 자격증을 취득하다

It's very convenient
because you can get certified online.

온라인상에서 자격증 취득이 가능해서
매우 편리하다.

🎤 강세·청킹 낭독 가이드

It's **very** convenient /
because you can get **certified** / **online**.

blow off steam

스트레스를 풀다

**I really want to
blow off some steam.**

나 정말 스트레스 좀 풀고 싶어.

🎙 강세·청킹 낭독 가이드

I really want to / blow off /
some steam.

nod off

졸다

I often nod off an hour after I had lunch.

나는 점심 먹고 한 시간 후에 자주 존다.

 강세·청킹 낭독 가이드

I **often** nod **off** / an **hour** / after I had **lunch**.

be swamped with work

일이 많아서 정신이 없다

I have been swamped with work since last week.

지난주부터 일이 많아서 정신이 없는 상태야.

 강세·청킹 낭독 가이드

I have been **swamp**ed / with **work** /
since **last** week.

food coma

식곤증

**Food coma sets in more easily
if you have a heavy meal for lunch.**

점심을 헤비하게 먹으면 식곤증이 더 잘 나타난다.

 강세·청킹 낭독 가이드

Food coma / sets in / more easily /
if you have a heavy meal / for lunch.

reflect on the day

하루를 되돌아보다

I reflect on the day
by writing a diary.

나는 일기를 쓰면서 하루를 되돌아본다.

 강세·청킹 낭독 가이드

I reflect / on the day /
by writing a diary.

the look in one's eyes

~의 눈빛

I will never forget
the look in her eyes.

그 친구의 눈빛을 절대 잊을 수가 없어요.

 강세·청킹 낭독 가이드

I will **never** / forget the **look** /
in her **eyes**.

have doubts

의구심이 든다

I am starting to have doubts **about this.**

이것에 대해서 의구심이 들기 시작해.

 강세·청킹 낭독 가이드

I am **star**ting to have **doubts** / about this.

know what is coming

다가올 일을 인지하다

My family members
knew what was coming.

우리 가족은 다가올 일을 인지하고 있었다.

 강세·청킹 낭독 가이드

My family members / **knew**

/ **what** was **coming**.

not feel myself

컨디션이 좋지 않다

I am not feeling myself **today.**

나 오늘 컨디션이 안 좋아.

 강세·청킹 낭독 가이드

I am **not** / feeling myself / today.

cultivate talent

인재를 양성하다

College education aims at cultivating talent for the future.

대학교육은 미래 인재 양성을 목표로 한다.

 강세·청킹 낭독 가이드

College education / aims at /
cultivating talent / for the future.

have not kept pace

속도를 맞추지 못해 왔다

The number of parking spaces
has not kept pace.

주차공간의 숫자가 증가하는 속도를 맞추지 못해 왔다.

 강세·청킹 낭독 가이드

The **number** of **parking** spaces /
has **not** / kept **pace**.

take in the ocean view

바다 전망을 감상하다

I took in the ocean view
from my hotel room.

내 호텔방에서 내다보이는 바다 전망을 감상했다.

 강세·청킹 낭독 가이드

I took **in** / the ocean view /
from my ho**tel** room.

an average lifespan

평균 수명

Pigeons have an average lifespan of 10 to 20 years.

비둘기들의 평균 수명은
10년에서 20년 정도이다.

 강세·청킹 낭독 가이드

Pigeons / have an average lifespan / of 10 / to 20 years.

all the rage

인기 절정인 / 대유행을 하고 있는

**Living in Jeju for a month
is all the rage these days.**

제주도 한 달 살기가 요즘 크게 유행을 하고 있다.

 강세·청킹 낭독 가이드

Living in Jeju / for a month /
is all the rage / these days.

a bit of a nuisance
약간 골칫거리

They can be a bit of a nuisance
because there are too many of them.

개체수가 너무 많아서
약간의 골칫거리이기도 하다.

🎤 강세·청킹 낭독 가이드

They can **be** / a **bit** of a **nuisance** /
because there are / **too** many of them.

run a red light

교통 신호를 위반하다 (정지 신호)

You can get fined
if you run a red light.

신호위반을 하면 벌금을 낼 수 있다.

 강세·청킹 낭독 가이드

You can get **fined** /
if you **run** / a red **light**.

be torn over

~을 두고 고민이 이만저만이 아니다

I am torn over whether to send my son to an English kindergarten.

아들을 영어유치원에 보내야 할지 말지를 두고
고민이 이만저만이 아니다.

 강세·청킹 낭독 가이드

I am **torn** over / **whe**ther to **send** my **son** / to an **Eng**lish **kinder**garten.

protective gear

보호 장비

**We wear protective gear,
so it is safe.**

보호 장비를 착용하기 때문에 안전하다.

 강세·청킹 낭독 가이드

We wear / protective gear, /
so it is safe.

make the call

결정을 내리다

It is very hard to make the call all by myself.

전적으로 나 혼자서 결정을 내리기가 상당히 어렵다.

 강세·청킹 낭독 가이드

It is **very** hard / to **make** the **call** /
all / by my**self**.

get a lot out of
~통해서 많은 것을 얻다

I get a lot out of the study sessions.

나는 스터디를 통해 많은 것을 얻는다.

 강세·청킹 낭독 가이드

I get a lot / out of the study sessions.

shift the focus to

~로 초점을 옮기다

I am trying to shift the focus to **speaking and writing.**

나는 말하기와 쓰기로 초점을 옮기려고 하고 있다.

 강세·청킹 낭독 가이드

I am **trying** / to **shift** the focus /
to **speaking** / and **writing**.

practice on my own
스스로 연습하다

I practice on my own
for an hour every day.

나는 매일 한 시간씩 나 혼자서 연습을 한다.

 강세·청킹 낭독 가이드

I **practice** on my **own** /
for an **hour** / every **day.**

space out

멍 때리다

I tend to space out from time to time.

나는 가끔씩 멍 때리는 경우가 있다.

 강세·청킹 낭독 가이드

I tend to space out / from time to time.

4

can-do spirit

할 수 있다는 의지

We need to have a can-do spirit when we learn English.

영어를 배울 때
할 수 있다는 의지가 중요하다.

 강세·청킹 낭독 가이드

We **need** to **have** / a can-do spirit /
when we **learn** / **Eng**lish.

be out of it

정신이 멍하다

I can't focus today because I am a bit out of it.

오늘 정신이 조금 멍해서, 집중이 안 된다.

 강세·청킹 낭독 가이드

I can't focus / today /
because I am a bit / out of it.

sign a lease
임대 계약을 체결하다

**Before you sign a lease,
read the contract thoroughly.**

임대 계약을 하기 전에,
계약서를 꼼꼼히 읽어보세요.

 강세·청킹 낭독 가이드

Before you sign a lease, /
read the contract / thoroughly.

be in denial

현실을 부정하다

I was in denial at first
and I wanted to get a second opinion.

처음에는 그것을 받아들이기가 힘들어서,
2차 소견을 받고 싶었다.

 강세 · 청킹 낭독 가이드

I was in denial / at first /
and I wanted to get / a second opinion.

get a lot of inquiries

문의를 많이 받다

I get a lot of inquiries about how to study English.

영어 공부 방법에 대한 문의를 많이 받아요.

 강세 · 청킹 낭독 가이드

I get a lot of inquiries /
about how to study / English.

have a bad reputation

평판이 좋지 않다

It's no surprise
that pigeons have a bad reputation.

비둘기들이 평판이 좋지 않은 것은
그리 이상할 것도 없다.

 강세·청킹 낭독 가이드

It's **no** surprise /
that pigeons / have a **bad** / reputation.

get a lot of business

손님이 많다 / 주문이 많다

We get a lot of business on the weekends.

주말에 손님이 많은 편이에요.

 강세·청킹 낭독 가이드

We / get a lot of business /
on the weekends.

pose a risk to humans

인간에게 해를 끼치다

Many more infectious diseases can pose a risk to humans.

더 많은 전염병들이 인간에게 해를 끼칠 수 있다.

 강세·청킹 낭독 가이드

Many more / infectious diseases / can **pose** a **risk** / to humans.

regardless of gender

성별에 상관없이

Many studies suggest
that this is true regardless of gender.

많은 연구들이 이것은
성별에 상관없이 사실이라고 암시한다.

🎤 강세·청킹 낭독 가이드

Many studies suggest /
that this is true / regardless of gender.

improve mileage

연비를 개선하다

**You can improve mileage
by changing your driving style.**

운전 습관을 바꾸면
연비를 개선할 수 있다.

 강세·청킹 낭독 가이드

You can improve mileage /
by changing / your driving style.

3

MARCH

give up on

~을 포기하다

I gave up on math when I was in high school.

나는 고등학교 때 수학을 포기했었다.
(수포자였다)

 강세·청킹 낭독 가이드

I gave up / on math /
when I was in high school.

have a broader appeal

더 광범위하게 관심을 끌다

Broadcast radio usually covers topics that have a broader appeal.

방송 라디오는 주로
더 광범위한 관심을 끄는 주제들을 다룬다.

 강세 · 청킹 낭독 가이드

Broadcast radio / usually covers topics
/ that have a **broader** appeal.

in moderation

적당하게 / 적당히

We should try to drink
in moderation.

술을 적당히 마시려고 노력해야 한다.

 강세·청킹 낭독 가이드

We should **try** to **drink** /
in moderation.

it's human nature

~하는 것은 인간의 본성이다

It's human nature **for people to daydream.**

몽상을 하는 것은 인간의 본성이다.

 강세·청킹 낭독 가이드

It's **hu**man nature / for **peo**ple / to **day**dream.

wreak havoc on

~에 대혼란을 야기하다

**High blood sugar levels
can** wreak havoc on **our bodies.**

고혈당 수치는 우리 몸에 대혼란을 야기할 수 있다.

 강세·청킹 낭독 가이드

High blood sugar levels /
can **wreak havoc** / on our **bodies.**

what might go wrong

잘못될 수 있는 것

I am worried about
what might go wrong **in the future.**

앞으로 발생할 수 있는 문제에 대해 걱정이다.

강세·청킹 낭독 가이드

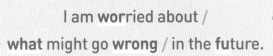
I am **worried** about /
what might go **wrong** / in the future.

go haywire

(기능에) 문제가 생겨 고장 나다

Our body's insulin function can go haywire.

우리 몸에 인슐린 기능에 문제가 생길 수 있다.

 강세·청킹 낭독 가이드

Our **body's** insulin **function** /

can **go** / **haywire**.

feel overwhelmed

감당할 수 없다고 느끼다

People can feel overwhelmed when they are diagnosed with cancer.

사람들은 암 진단을 받으면
감당하기 힘든 감정을 느낄 수 있다.

 강세·청킹 낭독 가이드

People can feel overwhelmed /
when they are diagnosed / with cancer.

be fascinated with

~에 신기하게 생각하며 매료되다

Some people are fascinated with
the concept of blockchain technology.

어떤 사람들은 블록체인 기술의 개념에 매료되어 있다.

🎤 강세·청킹 낭독 가이드

Some people / are **fascinated** /
with the **concept** / of **block**chain technology.

pretend that everything is okay

아무렇지도 않은 척하다

If you feel angry, don't pretend that everything is okay.

화가 나면 아무렇지도 않은 척하지 마세요.

 강세·청킹 낭독 가이드

If you **feel angry**, /

don't pretend that / **everything** is okay.

take the plunge

(고심 끝에) 큰마음 먹고 결심하다

We decided to take the plunge **and buy an aquarium at home.**

고심 끝에 집에 어항을 사기로
마음먹었습니다.

 강세·청킹 낭독 가이드

We de**cided** to / **take** the **plunge** /
and **buy** an a**quar**ium / at **home**.

come out of the blue

난데없이 나오다

The news came out of the blue **for us.**

그 소식은 우리에게 마른하늘에 날벼락같이 느껴졌다.

 강세·청킹 낭독 가이드

The **news** / came / **out of the blue** / for us.

glimmer in gold

황금빛으로 반짝이다

The ocean was
glimmering in gold.

바다가 황금빛으로 반짝이고 있었다.

 강세·청킹 낭독 가이드

The ocean / was glimmering / in gold.

have a lot on my mind

머리가 복잡하다

**I can't concentrate
because I have a lot on my mind right now.**

나는 지금 머리가 복잡해서
집중을 못 하겠어.

 강세·청킹 낭독 가이드

I can't concentrate /
because / I have a lot on my mind / right now.

in real time

실시간으로

We can get the news in real time **on our cell phones.**

우리는 휴대폰상에서
뉴스를 실시간으로 접할 수 있다.

 강세·청킹 낭독 가이드

We can **get** the **news** / in **real** time /
on our **cell** phones.

have a good feeling about

~에 대해서 느낌이 좋다

I was relieved
because I had a good feeling about him.

그 친구에 대해 느낌이 좋아서
나는 안도감이 들었다.

 강세·청킹 낭독 가이드

I was relieved /
because / I had a **good feeling** / about him.

pick up
where I left off

중단한 지점에서 다시 이어가다

**With e-books,
I can easily** pick up where I left off.

전자책으로는 읽다 중단한 부분부터
다시 이어보기가 용이하다.

 강세·청킹 낭독 가이드

With e-books, / I can easily pick **up** /
where I left **off**.

come up with

생각해 내다, 구상하다

We come up with a theme
to write about every day.

우리는 매일 글을 쓸 주제를 같이 생각해 낸다.

강세 · 청킹 낭독 가이드

We come **up** / with a **theme** /
to **write** about / every **day.**

at a time

동시에 한 번에

It's hard to do several things at a time.

한 번에 여러 가지 일을 하는 것은 어렵다.

 강세 · 청킹 낭독 가이드

It's **hard** / to do several things /
at a **time**.

set a timer for

타이머를 ~에 맞춰 놓는다

I set a timer for **30 minutes when I write my daily journal.**

나는 매일 일기를 쓸 때
타이머를 30분으로 맞춰 놓는다.

 강세·청킹 낭독 가이드

I set a timer / for **30 minutes** /
when I **write** / my daily **journal.**

drag around

질질 끌고 다니다

I had to drag around a heavy bag when I was in school.

나 학창 시절 무거운 가방을
질질 끌고 다녀야 했어.

 강세·청킹 낭독 가이드

I **had** to drag **around** / a **heavy** bag /
when I was in **school**.

a third of the way

전체의 삼분의 일

Fill the glass a third of the way when you pour wine.

와인을 따를 때, 잔의 1/3까지 채우세요.

 강세·청킹 낭독 가이드

Fill the glass / a third of the way / when you pour wine.

check out books from the library

도서관에서 책을 대여하다

It has been a while since I checked out books from the library.

내가 도서관에서 책을 대여해 본 지는 꽤 되었다.

 강세·청킹 낭독 가이드

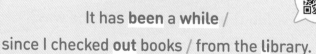
It has **been** a **while** /
since I checked **out** books / from the library.

chug down

벌컥벌컥 마시다

Chugging down wine is a big no-no.

와인을 벌컥벌컥 마시는 것은 절대 안 돼요.

 강세·청킹 낭독 가이드

Chugging **down wine** / is a **big** / no-no.

give out = hand out

나눠주다, 배포하다

We made custom-made T-shirts to give out to people.

우리는 사람들에게 나눠 줄
맞춤 제작 티셔츠를 만들었다.

 강세·청킹 낭독 가이드

We **made** / **cus**tom-made **T**-shirts /
to give **out** / to **peo**ple.

right on the spot

바로 그 자리에서

I decided to buy the coat
right on the spot.

나는 바로 그 자리에서 그 코트를 사기로 결정했다.

 강세·청킹 낭독 가이드

I **decided** to / **buy** the **coat** / **right**

/ on the **spot**.

as you like

본인이 원하는 방식으로

You can drink coffee
as you like.

본인이 원하는 방식으로 커피를 마실 수 있다.

🎙 강세·청킹 낭독 가이드

You can **drink** / **coffee** / as you **like**.

cannot be overstated

아무리 강조해도 지나치지 않다

The importance of dental health cannot be overstated.

치아 건강의 중요성은 아무리 강조해도 지나치지 않다.

 강세·청킹 낭독 가이드

The importance / of dental health / cannot / be overstated.

uneasy feeling

불편한 감정, 꺼림칙한 느낌

We all have an uneasy feeling
about this.

우리 모두 이것에 대해서 느낌이 좋지 않아.

 강세·청킹 낭독 가이드

We all / have an uneasy feeling /
about this.

floss at least once a day

하루에 최소 한번은 치실 질을 하다

Experts recommend
that we floss at least once a day.

전문가들은 하루에 최소 한번은
치실질을 할 것을 권장한다.

 강세·청킹 낭독 가이드

Experts recomm**end** /
that we **floss** / at **least** / **once** a **day**.

OCTOBER **15**

show up late

늦게 나타나다

**She has a tendency
to show up late for meetings.**

그녀는 회의에
늦게 나타나는 경향이 있어.

 강세·청킹 낭독 가이드

She has a **tendency** /
to show **up late** / for **meetings**.

go as far as to

심지어 ~까지 하다

He even went as far as to say that he doesn't care anymore.

그는 심지어
이제 더이상 상관하지 않겠다고 말까지 했다.

🎤 강세·청킹 낭독 가이드

He **even** went / as **far** as to **say** /
that he **doesn't** care / **anymore**.

OCTOBER 14

in good faith

믿음을 가지고, 진정성을 가지고

I signed the contract
in good faith.

나는 믿음을 가지고 계약을 체결했어.

 강세·청킹 낭독 가이드

I signed the contract / in good faith.

can be intimidating

겁이 나게 하다

He can be intimidating **at times.**

그는 가끔 위협적일 때가 있어.

 강세·청킹 낭독 가이드

He can **be** / intimidating / at **times.**

early diagnosis

조기 진단

Early diagnosis **of dementia** **is very important.**

치매를 조기에 발견하는 것은 매우 중요하다.

 강세·청킹 낭독 가이드

Early diagnosis / of dementia /
is very important.

come in different colors

여러 색상으로 출시되다

We all know
that wine comes in different colors.

와인이 다양한 색상으로 출시된다는 것은
주지의 사실이다.

강세·청킹 낭독 가이드

We all know /
that wine / comes in different colors.

life after death

사후 세계

"Coco" is an animated film about life after death.

"코코"는 사후 세계를 그린 애니메이션이다.

🎙️ 강세·청킹 낭독 가이드

"Coco" / is an animated film /
about life / after death.

process their feelings

감정을 충분히 소화하다

We need to help children process their feelings.

우리는 아이들이 자신의 감정을
충분히 소화할 수 있게 도와줘야 한다.

 강세·청킹 낭독 가이드

We **need** to **help** children /
process their **feelings**.

karma
업보

I think we met each other because of karma from a past life.

우리는 전생의 업보 때문에 서로 만난 것 같아.

 강세·청킹 낭독 가이드

I **think** / we **met** each other /
because of **karma** / from a **past** life.

is an oldie,
but a goodie

옛날 거지만 여전히 좋은 것

This song is an oldie, but a goodie.

이 곡은 옛날 곡이지만, 여전히 정말 좋다.

 강세·청킹 낭독 가이드

This song / is an **oldie,** / but a **goodie.**

suit my style
나의 취향에 맞추다

**I decorated my home
to suit my style.**

나는 나의 취향에 맞게 우리 집을 꾸몄다.

 강세·청킹 낭독 가이드

I decorated my **home** /
to **suit** my **style**.

it could be a sign

암시일 수 있다

It could be a sign that something is not right.

뭔가 문제가 있다는 암시일 수 있다.

 강세·청킹 낭독 가이드

It could be a **sign** / that **some**thing / is **not** right.

put one's own spin on it

본인만의 개성을 입히다

You should try to
put your own spin on it.

본인의 개성을 입혀보는 것이 좋아.

 강세·청킹 낭독 가이드

You should **try** to /
put your **own** / **spin** on it.

make a scene
소란을 피우다, 남의 시선을 끌다

**I didn't want to make a scene
in front of a lot of people.**

나는 많은 사람들 앞에서
소란을 피우고 싶지 않았다.

 강세·청킹 낭독 가이드

I didn't / want to make a scene /
in front of / a lot of people.

if the situation calls for it

어쩔 수 없는 상황이면

I will ask for help
if the situation calls for it.

어쩔 수 없는 상황이면 도움을 요청할게.

 강세·청킹 낭독 가이드

I will **ask** for **help** /
if the situation / **calls** for it.

there's a long wait
대기하는 줄이 길다

Look, there's a long wait.
I don't want to go there.

저기 봐봐. 대기하는 줄이 엄청 길어.
나 저기 가고 싶지 않아.

 강세 · 청킹 낭독 가이드

Look, / there's a **long wait.** /
I don't / want to **go** there.

a tough habit
to kick

끊기 어려운 습관

Having late-night snacks
is a tough habit to kick.

야식을 끊는 것은
결코 쉬운 일이 아니다.

 강세·청킹 낭독 가이드

Having late-night snacks /
is a tough habit / to kick.

MARCH

24

make a conscious effort

의식적으로 노력하다

You need to make a conscious effort **to improve your health.**

더 건강해지기 위해서는
의식적인 노력을 해야 한다.

 강세·청킹 낭독 가이드

You **need** to / **make** a **con**scious effort
/ to im**prove** your **health.**

face off against

~을 상대로 맞붙다

We are facing off against
a very strong team next week.

우리는 다음 주에
강팀을 상대로 맞붙는다.

 강세·청킹 낭독 가이드

We are facing **off** /
against a **very** / strong **team** / **next** week.

around the clock

24시간 언제든

Some unmanned stores are open
around the clock.

일부 무인상점은 24시간 영업을 한다.

🎙 강세·청킹 낭독 가이드

Some unmanned stores / are open /
around the clock.

live under one roof

한 집에 같이 살다

**I think it's best for us
to live under one roof.**

우리가 한 지붕 아래 같이 사는 것이
가장 좋을 것 같아.

 강세·청킹 낭독 가이드

I **think** it's **best** / for us /
to **live** under / **one** roof.

a wide variety of

각양각색의

There is a wide variety of **options you can choose from.**

각양각색 고를 수 있는 선택의 폭이 정말 넓다.

 강세·청킹 낭독 가이드

There is / a **wide** variety of **options** / you can **choose** from.

live apart

떨어져 살다

We had to live apart from each other for a while.

우리는 한동안
서로 떨어져 살아야 했다.

 강세·청킹 낭독 가이드

We **had** to live a**part** /
from each **other** / for a **while**.

without even thinking about it

무의식적으로

I sometimes bite my nails
without even thinking about it.

나는 가끔 무의식적으로 손톱을 물어뜯는다.

 강세·청킹 낭독 가이드

I **some**times / **bite** my **nails** /
with**out** even / **think**ing about it.

have a killer view

전망이 끝내준다

The new apartment
has a killer view.

그 새 아파트는 전망이 끝내준다.

🎙 강세·청킹 낭독 가이드

The new apartment /
has a killer / view.

drive me nuts

속이 끓다, 몹시 신경에 거슬리다

It drives me nuts
when people are rude.

사람들이 예의 없게 행동하면 정말 속이 끓는다.

 강세·청킹 낭독 가이드

It **drives** me **nuts** /
when **people** are **rude.**

2

get one's revenge

복수를 하고 말다

**I am going to
get my revenge on her.**

나 그녀에게 복수하고 말 거야.

🎤 강세·청킹 낭독 가이드

I am **going** to /
get my re**venge** / on her.

call it quits

포기하다, 그만두다

I have no intention of calling it quits.

나는 포기할 생각이 전혀 없다.

 강세·청킹 낭독 가이드

I have **no** intention / of **calling it quits.**

go nowhere

전혀 진전이 없다

I felt as if I were going nowhere.

내가 더 이상 전혀 진전이 없다고 느꼈다.

 강세·청킹 낭독 가이드

I **felt** as if / I were **go**ing / **no**where.

enjoy the act of reading

책 읽기 자체를 즐기다

We need to help children
enjoy the act of reading.

아이들이 책 읽는 것 자체를 즐길 수 있도록 도와줘야 한다.

 강세·청킹 낭독 가이드

We **need** to **help** children /
enjoy the **act** / of **reading.**

10

OCTOBER

fly off the handle

버럭 화를 내다

Some people fly off the handle at the slightest aggravation.

어떤 사람들은 조금만 자극해도 버럭 화를 낸다.

 강세·청킹 낭독 가이드

Some people / fly off the handle / at the slightest aggravation.

get down on myself

스스로를 자책하다

I used to get down on myself
quite a lot.

나는 예전에 나 자신을 자책하는 경우가 많았었다.

 강세·청킹 낭독 가이드

I used to get **down** /
on my**self** / **quite** a lot.

APRIL

be fixated on

~에 집착하다, ~에 매료되다

Try not to be fixated on small matters like that.

그렇게 사소한 문제에 집착하지 않으려고 노력하세요.

 강세·청킹 낭독 가이드

Try **not** to be **fixated** /
on **small** matters / like **that**.

APRIL

1

cut down on

(양이나 횟수를) 줄이다

Many people have cut down on how often they eat out.

많은 사람들이
나가서 외식하는 빈도를 줄여 왔다.

 강세·청킹 낭독 가이드

Many people / have cut **down** on /
how **often** / they eat **out**.

feel a sense of gratitude

감사하다는 마음이 들다

**I feel a sense of gratitude
when I see my kids growing.**

우리 아이들이 성장하는 모습을 보면
감사하다는 마음이 절로 들어요.

 강세·청킹 낭독 가이드

I feel a **sense** of **gratitude** /
when I **see** my **kids** / **growing.**

diverse cuisines

다양한 정식요리

One of the benefits of meal kits is that they offer diverse cuisines.

밀키트의 장점 중 하나는
다양한 요리를 제공한다는 점이다.

 강세·청킹 낭독 가이드

One of the benefits / of meal kits /
is that / they offer / diverse cuisines.

back-breaking work

매우 고된 일, 힘겨운 일

Raising kids can be
back-breaking work.

아이들 기르는 것이 때로는 매우 고된 일일 수 있다.

 강세·청킹 낭독 가이드

Raising kids /
can be **back-breaking** / **work.**

a whole other ballgame

차원이 다른 문제, 완전히 다른 이야기

**Compared to high school,
college is** a whole other ballgame**.**

고등학교와 비교해서 대학은 아예 차원이 다른 영역이다.

강세 · 청킹 낭독 가이드

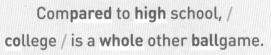

Compared to high school, /
college / is a whole other ballgame.

set a new record

새로운 기록을 세우다

Korea set a new record in overall exports last year.

한국은 작년 전체 수출규모 신기록을 세웠다.

 강세·청킹 낭독 가이드

Korea / set a **new** record / in **overall** exports / **last** year.

4

be consistent in your studies

공부를 꾸준히 하다

To learn English properly,
you need to be consistent in your studies.

영어를 제대로 배우기 위해서는
공부를 꾸준히 해야 한다.

🎤 강세·청킹 낭독 가이드

To **learn** English / **properly**, /
you **need** to be consistent / in your **studies**.

take a big step forward

크게 도약하다

**It is a chance for me
to take a big step forward.**

내가 크게 도약할 수 있는 기회이다.

 강세·청킹 낭독 가이드

It is a **chance** / for me /
to **take** a **big** step **forward**.

stick to

~을 철저히 지키다, ~을 고수하다

You need to stick to your daily routine even on the weekends.

주말에도 본인의 루틴을
철저히 지킬 필요가 있다.

 강세·청킹 낭독 가이드

You **need** to / **stick** to your **daily** routine
/ **even** / on the **weekends**.

make the most of my time

시간을 최대한 잘 활용하다

I am trying my best to make the most of my time.

나는 시간을 최대한 잘 활용하기 위해
최선을 다하고 있다.

 강세·청킹 낭독 가이드

I am **trying** my **best** /
to **make** the **most** / of my **time**.

go slow at first

처음에는 천천히 진행하다

**As with everything else,
it is better to go slow at first.**

다른 모든 것과 마찬가지로,
처음에는 천천히 진행하는 것이 더 좋다.

 강세·청킹 낭독 가이드

As with everything else, /
it is better / to go slow / at first.

in order of importance

중요한 순서에 따라

I write down my plans
in order of importance.

나는 계획을 중요한 순서에 따라 적어 놓는다.

🎙 강세·청킹 낭독 가이드

I write **down** / my **plans** /
in **order** / of **importance**.

sign up for a subscription

구독 신청을 하다

I signed up for a subscription, so I get the monthly book by mail.

나는 정기구독을 신청해서,
월간지를 우편으로 받아본다.

 강세·청킹 낭독 가이드

I signed **up** / for a subscription, /
so / I **get** the **monthly** book / by **mail**.

is a must

필수이다, 반드시 해야 하다

Wearing a mask in public used to be a must.

한때 공공장소에서 마스크 착용은 필수였다.

 강세·청킹 낭독 가이드

Wearing a **mask** / in **public** /
used to be a **must**.

make life worth living

살맛 나게 해주다

It has become a part of my routine that makes life worth living.

살맛 나게 해주는
나의 일상 루틴 중 하나가 되었다.

 강세 · 청킹 낭독 가이드

It has be**come** / a **part** of my routine /
that **makes** life / **worth** living.

come in handy

유용하게 작용하다

Knowing your MBTI personality type **can** come in handy.

자신의 MBTI 성격유형을 아는 것은
유용하게 작용할 수 있다.

 강세·청킹 낭독 가이드

Knowing your MBTI /
personality type / can **come** in / **handy**.

have time to myself

나만의 시간을 가지다

It feels so nice
to have time to myself **every day.**

매일 나만의 시간을 가지는 것은
정말 기분 좋은 일이다.

 강세·청킹 낭독 가이드

It feels **so** nice /
to have **time** to myself / every **day.**

cry one's eyes out

눈이 붓도록 펑펑 울다

I cried my eyes out watching that movie.

그 영화 보면서 정말 펑펑 울었어.

 강세·청킹 낭독 가이드

I **cried** my **eyes** out /
watching that **movie.**

get the day started

하루 일과를 시작하다

Getting the day started bright and early has changed my life completely.

아침 일찍 하루 일과를 시작하는 것은
나의 삶을 완전히 바꾸어 놓았다.

🎤 강세·청킹 낭독 가이드

Getting the day started /
bright and early / has changed my life / completely.

take it out on

~에게 화풀이하다

I regret that I took it out on her.

그녀에게 화풀이를 한 것이 후회돼.

 강세·청킹 낭독 가이드

I regret / that I took it out / on her.

shoot the breeze

수다를 떨다

I like to shoot the breeze with my friends over the phone.

나는 친구들과 전화상으로
수다 떠는 것을 좋아한다.

🎤 강세·청킹 낭독 가이드

I like to shoot the breeze /
with my friends / over the phone.

home workout

홈 트레이닝

When I can't go to the gym I do home workouts.

헬스장에 갈 수 없을 때는
나는 홈 트레이닝을 한다.

🎤 강세·청킹 낭독 가이드

When I **can't** / go to the **gym** /
I **do** / home **work**outs.

be keenly interested in

~에 비상한 관심이 있다

Many people around the world are keenly interested in K-pop.

전세계 많은 사람들이
K팝에 비상한 관심이 있다.

 강세·청킹 낭독 가이드

Many people around the world /
are keenly interested / in K-pop.

obsess over

~에 집착하다

I try not to obsess over small things.

나는 작은 것들에 너무 연연하지 않으려고 노력한다.

 강세·청킹 낭독 가이드

I try **not** to / **obsess** over / **small** things.

set out on

길을 나서다

We set out on our hike at the crack of dawn.

우리는 꼭두새벽에 등산길에 나섰다.

 강세·청킹 낭독 가이드

We set **out** / on our **hike** / at the **crack** of **dawn**.

time-consuming
시간 소요가 많이 되는

Having a pet
can be quite time-consuming.

반려동물을 기르는 것은
제법 많은 시간을 요한다.

 강세 · 청킹 낭독 가이드

Having a pet /
can be quite / time-consuming.

before I kick the bucket

죽기 전에

I want to visit that place at least once
before I kick the bucket.

나는 죽기 전에 최소 한번은
저 곳을 방문해보고 싶다.

 강세·청킹 낭독 가이드

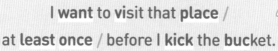
I want to visit that place /
at least once / before I kick the bucket.

day-to-day life

일상생활

Dopamine levels have an impact on our day-to-day life.

도파민 수치는 우리 일상생활에 영향을 미친다.

 강세·청킹 낭독 가이드

Dopamine levels / have an impact / on our day-to-day life.

hit the road

길을 나서다, 이동하다

It's time to hit the road **again.**

이제 다시 길을 나설 시간이에요.

 강세·청킹 낭독 가이드

It's time / to hit the road / again.

head outside

밖으로 향하다

Let's head outside,
instead of staying indoors.

우리 실내에 있지 말고, 밖으로 나가자.

 강세·청킹 낭독 가이드

Let's **head** outside, /
instead of / staying in**doors**.

take up less space

자리를 덜 차지하다

One of the benefits of e-books is that they take up less space.

전자책의 장점 중 하나는
자리를 덜 차지한다는 것이다.

 강세·청킹 낭독 가이드

One of the **benefits** / of **e-**books /
is **that** / they take **up** / **less** space.

report one's card missing

분실신고를 내다

I immediately
reported my card missing.

나는 즉시 카드 분실신고를 냈다.

 강세·청킹 낭독 가이드

I immediately /
reported my card / missing.

APRIL **17**

burn the candle at both ends

밤낮으로 일을 하다

I need to burn the candle at both ends **to get this done on time.**

이것을 시간 내에 끝내려면
밤낮으로 일을 해야 한다.

강세·청킹 낭독 가이드

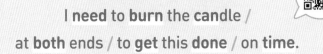

I **need** to **burn** the **candle** /
at **both** ends / to **get** this **done** / on **time.**

on an empty stomach

빈속에, 공복에

You should not drink
on an empty stomach.

빈속에 술을 마시는 것은 좋지 않아요.

 강세·청킹 낭독 가이드

You should **not** / **drink** /
on an **emp**ty stomach.

get back on track
다시 정상으로 돌아오다

**Doing something enjoyable helps me
get back on track.**

뭔가 즐거운 일을 하는 것은
내가 다시 정상으로 돌아오게 도와준다.

 강세·청킹 낭독 가이드

Doing something enjoyable /
helps me / get **back** on **track**.

take to people well

(동물/아기가) 사람을 잘 따른다

She takes to people **really** well.

사람을 정말 잘 따르는 편이에요.

 강세·청킹 낭독 가이드

She **takes** to **people** / **really** well.

get caught up in work

일에 지나치게 몰두하다

I often get caught up in work **and forget to enjoy my life.**

나는 일에만 지나치게 몰두해서,
인생을 즐기지 못하는 경우가 많다.

 강세·청킹 낭독 가이드

I often / get caught **up** in **work** /
and **forget** / to enjoy my **life.**

be over the moon

날아갈 것처럼 기분이 좋다

I was over the moon
when I heard the news.

그 소식을 듣고 나는 날아갈 것처럼 기분이 좋았다.

 강세·청킹 낭독 가이드

I was **over** the **moon** /
when I **heard** the **news.**

from a different perspective

다른 관점에서, 다른 시각에서

You will start to see your culture
from a different perspective.

자신의 문화를
다른 시각에서 보기 시작할 거예요.

 강세·청킹 낭독 가이드

You will **start** to **see** / your **culture** /
from a **different** pers**pec**tive.

seasonal food(s)

제철 음식

Korea has a wide variety
of seasonal foods.

한국에는 제철 음식이 매우 다양하게 있다.

 강세·청킹 낭독 가이드

Korea / has a **wide** variety /

of seasonal foods.

turn a blind eye to

보고도 못 본척하다, 무시하다

It is **not good to** turn a blind eye to **such issues.**

그러한 문제를 못 본 척하고
그냥 넘어가는 것은 좋지 않다.

 강세·청킹 낭독 가이드

It is **not** good / to **turn** a **blind** eye /
to **such** issues.

is catching on

유행처럼 퍼지고 있다

Camping is catching on fast among younger people.

캠핑이 젊은 사람들 사이에서
빠르게 유행으로 자리잡고 있다.

 강세·청킹 낭독 가이드

Camping / is catching **on fast** /
among **young**er people.

form a strong bond

끈끈한 유대감을 형성하다

**As siblings grow up together,
they** form a strong bond.

형제자매 간에 같이 자라면서,
끈끈한 유대감을 형성한다.

 강세 · 청킹 낭독 가이드

As siblings / grow up together, /
they **form** / a strong bond.

is a tough call

결정 내리기 힘든 것이다

For me, this is a tough call
to make.

이것은 나에게 결정을 내리기가 힘든 사안이다.

 강세·청킹 낭독 가이드

For me, / this is a **tough** call / to **make.**

give it the once-over

가볍게 둘러보다

**I visited the place myself
and** give it the once-over.

거기 직접 가서
가볍게 한번 둘러봤어.

 강세·청킹 낭독 가이드

I **visited** the **place** / **myself** /
and **gave** it / the **once-over**.

give up on
~을 포기하다

There are people who give up on marriage altogether.

결혼을 아예 포기하는 사람들도 있다.

 강세·청킹 낭독 가이드

There are people / who give up /
on marriage / altogether.

single person household

1인 가구

The number of single person households is increasing.

1인 가구의 수는 증가하고 있다.

 강세·청킹 낭독 가이드

The **num**ber /
of **single** person **house**holds / is in**crea**sing.

take root

뿌리내리다

This new trend has taken root in our lives.

이 새로운 트렌드는 우리 삶에 뿌리를 내렸다.

 강세·청킹 낭독 가이드

This new trend /
has taken root / in our lives.

ring up

상품을 계산하다

You have to ring up your own purchases at unmanned stores.

무인상점에서는 자신이 산 물건을
스스로 계산해야 한다.

 강세·청킹 낭독 가이드

You **have** to / ring **up** /
your **own** purchases / at un**man**ned stores.

the defining trait

가장 대표적인 특징

This will be the defining trait **of the metaverse.**

이것이 메타버스의 가장 핵심적인 특징이 될 것이다.

 강세·청킹 낭독 가이드

This / will be the defining **trait** /
of the **metaverse.**

make strides

발전하다, 진일보하다

I try my best to make strides and become a happier person.

나는 발전하고 더 행복한 사람이 되기 위해
최선을 다한다.

 강세·청킹 낭독 가이드

I try my **best** / to make **strides** /
and be**come** / a **hap**pier person.

first thing in the morning

아침에 일어나서 가장 먼저

I tune in to a radio show
first thing in the morning.

아침에 일어나서 가장 먼저
라디오 방송에 귀를 기울인다.

 강세·청킹 낭독 가이드

I tune **in** / to a **radio** show /
first thing / in the **morning**.

get burned out

번아웃이 되다

Everyone gets burned out at some point of their lives.

누구나 살면서 한 번쯤은 번아웃을 경험하게 된다.

 강세·청킹 낭독 가이드

Everyone / gets burned out /
at some point / of their lives.

SEPTEMBER

2

check in with a QR code

QR 코드로 체크인을 하다

We used to check in with a QR code when we went to restaurants.

음식점에 가면
QR 코드로 신원확인을 하곤 했었다.

🎤 강세·청킹 낭독 가이드

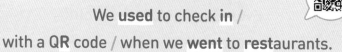

We **used** to check **in** /
with a **QR** code / when we **went** to **restaurants**.

become lethargic

무기력해지다

People become lethargic
when they are burned out.

사람들은 번아웃이 되면
무기력해진다.

 강세 · 청킹 낭독 가이드

People become lethargic /
when they are burned out.

camp out
진을 치고 기다리다

**People were camping out
in front of a department store.**

사람들이 백화점 앞에
진을 치고 기다리고 있었다.

 강세·청킹 낭독 가이드

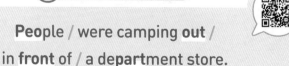

People / were camping **out** /
in **front** of / a de**part**ment store.

APRIL

29

at one's own pace

자신만의 속도대로

We need to help children learn
at their own pace.

우리는 아이들이 자신만의 속도로 배우게
도와줘야 한다.

 강세·청킹 낭독 가이드

We **need** to help **child**ren /
learn / at their **own** pace.

9

SEPTEMBER

is really something

~가 정말 대단하다

She is really something, isn't she?

그녀는 정말 대단해요, 그렇지 않아요?

 강세·청킹 낭독 가이드

She is really / something, / isn't she?

a hot new fad

열풍, 갑자기 뜨는 유행

Hiking has become a hot new fad
among young people.

젊은 사람들 사이에
등산 열풍이 불고 있다.

 강세·청킹 낭독 가이드

Hiking / has be**come** /
a **hot** new **fad** / among **young** people.

5

MAY

take a huge toll

엄청난 피해를 유발하다

Overfishing is taking a huge toll
on the marine ecosystem.

남획은 해양 생태계에
엄청난 피해를 유발하고 있다.

 강세·청킹 낭독 가이드

Overfishing / is taking a **huge** toll /
on the **marine** / ecosystem.

set a realistic budget

현실적인 예산을 세우다

I think we should set a realistic budget.

우리가 현실적인 예산을 세워야 한다고 생각해.

 강세·청킹 낭독 가이드

I think / we should **set** / a realistic **budget**.

come as a shock
충격으로 다가오다

The impact of plastic waste
came as a shock **to me.**

플라스틱 쓰레기의 여파가
나에게는 충격으로 다가왔다.

 강세·청킹 낭독 가이드

The impact / of plastic waste /
came as a shock / to me.

balance both sides of the equation

양쪽의 균형을 맞추다

The key is to balance both sides of the equation.

여기서 핵심은 양쪽의 균형을 맞추는 것이다.

 강세·청킹 낭독 가이드

The **key** /
is to **balance** / **both** sides / of the equation.

what it used to be

예전 상태

My body is definitely not
what it used to be.

내 몸이 확실히 예전 같지 않다.

🎤 강세·청킹 낭독 가이드

My **body** / is **definitely** / **not** /
what it **used** to be.

reflect on oneself

자아성찰을 하다

It gave me a chance to
reflect on myself.

나 자신을 되돌아볼 수 있는 자아성찰의 기회가 되었다.

🎤 강세·청킹 낭독 가이드

It gave me a chance /
to reflect on myself.

mixed feelings

묘한 기분, 복잡한 심경, 만감이 교차

I often have mixed feelings
when I think about my age.

내 나이를 생각하면 기분이 묘해질 때가 자주 있다.

 강세·청킹 낭독 가이드

I often have mixed feelings /
when I think / about my age.

unlimited access

무제한 접근

You can get unlimited access
if you subscribe to the service.

구독을 하면
무제한 접근 권한이 생긴다.

🎤 강세 · 청킹 낭독 가이드

You can **get** / unlimited **access** /
if you **subscribe** / to the **service**.

experience first-hand

직접 체험하다, 경험하다

I experienced first-hand how hard it could be.

그것이 얼마나 힘들 수 있는지 직접 경험해볼 수 있었다.

 강세·청킹 낭독 가이드

I experienced **first**-hand /
how **hard** / it could **be**.

hands-on experience

실무경험

**I want get some
hands-on experience first.**

나는 일단 실무경험을 조금 쌓고 싶어.

 강세·청킹 낭독 가이드

I want **get** /
some **hands**-on experience / **first.**

blow off steam

스트레스를 풀다, 쌓인 것을 풀다

Hiking is a great way
to blow off steam.

등산은 스트레스를 풀 수 있는 정말 좋은 방법이다.

 강세·청킹 낭독 가이드

Hiking / is a **great** way to /
blow **off** / steam.

get some perspective on life

인생에 대한 더 넓은 시야를 갖게 되다

**Journal writing is a good way
to get some perspective on life.**

일기 쓰기는 인생에 대한 더 넓은 시야를
갖게 해주는 좋은 방법이다.

 강세·청킹 낭독 가이드

Journal writing / is a **good** way /
to **get** some pers**pec**tive / on **life**.

quit cold turkey

단번에 끊다, 뚝 끊다

**The best way to stop smoking
is to quit cold turkey.**

담배를 끊을 수 있는 가장 좋은 방법은
단번에 끊는 것이다.

 강세·청킹 낭독 가이드

The **best** way / to stop **smoking** /
is to **quit** / **cold** turkey.

build up over time

시간이 지나면서 누적된다

Bad cholesterol tends to
build up over time.

나쁜 콜레스테롤은 시간이 지남에 따라
누적되는 경향이 있다.

 강세·청킹 낭독 가이드

Bad cholesterol / tends to build up /
over time.

the highest honor
최고의 영예

**The award is one of
the highest honors for movie stars.**

그 상은 영화배우들에게 최고의 영예 중에 하나이다.

 강세·청킹 낭독 가이드

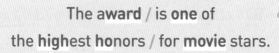

The **award** / is **one** of
the **highest** honors / for **movie** stars.

full-time homemaker

전업주부

I used to be a full-time homemaker
when I had my first child.

첫째 아이를 낳았을 당시 나는 전업주부였다.

 강세·청킹 낭독 가이드

I **used** to be / a **full-time home**maker /
when I **had** / my **first** child.

call it a career
퇴직하다, 은퇴 선언을 하다

**It's too early to call it a career
when you are 60 years old.**

나이 60세에 퇴직을 하는 것은
너무 이른 감이 있다.

 강세·청킹 낭독 가이드

It's too **early** / to **call** it a career /
when you are **60** years **old**.

set an example

모범을 보이다, 본보기가 되다

I tried to set an example by studying myself.

나부터 공부하는 모습을 보여주어,
모범을 보이려고 했다.

 강세·청킹 낭독 가이드

I tried to / set an example /
by studying myself.

keep at it
꾸준히 하다

**You have to keep at it
to get better in English.**

영어 실력을 늘리려면 꾸준히 해야 한다.

 강세·청킹 낭독 가이드

You **have** to **keep** at it /
to get **better** / in **English**.

feel rewarding

뿌듯하다, 보람을 느끼다

**It really felt rewarding
and I was proud of my son.**

정말 뿌듯했고, 우리 아들이 자랑스러웠다.

 강세·청킹 낭독 가이드

It **really** felt re**warding** /
and I was **proud** / of my **son**.

physically demanding

체력적으로 힘든

Waking up early in the morning can be physically demanding.

아침 일찍 일어나는 것은
체력적으로 힘들 수 있다.

 강세·청킹 낭독 가이드

Waking up / early in the morning /
can be physically / demanding.

the bare necessities

최소한의 필수품

I packed my bag with
the bare necessities.

정말 필요한 최소한의 필수품들만 가방에 챙겼다.

 강세·청킹 낭독 가이드

I packed my **bag** /
with the **bare** necessities.

AUGUST 19

get breakouts

얼굴에 뭐가 막 나다

Many people got breakouts because they had to wear masks.

마스크를 써야 해서
얼굴에 뭐가 막 나는 사람들이 많았다.

 강세·청킹 낭독 가이드

Many people / got breakouts /
because they had to wear masks.

leave a mark on

~에게 강한 인상을 남기다

That experience
really left a mark on me.

그 경험은 나에게 정말 강한 인상을 남겼다.

 강세·청킹 낭독 가이드

That experience /
really left a **mark** / on me.

AUGUST 18

crispy mouthfeel
바삭바삭한 식감

I prefer dipping it in the sauce because of the crispy mouthfeel.

바삭한 식감 때문에
나는 그것을 소스에 찍어 먹는 것을 선호한다.

 강세·청킹 낭독 가이드

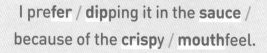 I prefer / dipping it in the sauce / because of the crispy / mouthfeel.

come with a lot of benefits

많은 이점이 수반되다

Raising a baby and a dog together comes with a lot of benefits.

아이와 강아지를 같이 기르는 것은
많은 이점이 있다.

 강세·청킹 낭독 가이드

Raising a **baby** / and a **dog** together /
comes / with a **lot** of benefits.

taste in food

음식 취향, 입맛

**Everyone's taste in food
is quite different.**

사람마다 음식 취향은 각자 다 다르다.

 강세·청킹 낭독 가이드

Everyone's **taste** / in **food** /
is **quite** different.

the feeling of being part of a group

소속감

The feeling of being part of a group really helps my studies.

소속감이 나의 공부에 큰 도움이 된다.

 강세·청킹 낭독 가이드

The feeling / of being **part** of a **group** / **really helps** / my **studies.**

know all the ins and outs of

~을 속속들이 다 파악하고 있다

She knows all the ins and outs of **social media.**

그녀는 SNS에 대해서 속속들이 다 파악하고 있다.

 강세·청킹 낭독 가이드

She **knows** / all the **ins** and **outs** / of **social** media.

a shot in the arm

활력소

The jokes we share on social media are a shot in the arm.

우리가 SNS 상에서 나누는 농담들이
삶의 활력소가 된다.

 강세·청킹 낭독 가이드

The jokes / we share on social media
/ are a shot / in the arm.

a sudden urge

갑작스러운 충동

I felt a sudden urge
to start working out myself.

나도 운동을 시작해야겠다는 갑작스러운 충동이 느껴졌다.

 강세·청킹 낭독 가이드

I felt a sudden **urge** /
to **start** working **out** / **myself.**

warm words of encouragement

따뜻한 격려의 말

Warm words of encouragement can really make a big difference.

따뜻한 격려의 말 한마디가
정말 큰 변화를 유발할 수 있다.

 강세·청킹 낭독 가이드

Warm words / of encouragement
/ can **really** / make a **big** diff**erence**.

build character

인성을 개발하다, 인성을 발달시키다

We must help our children build good character.

우리는 아이들이 좋은 인성을 갖게 도와줘야 한다.

 강세·청킹 낭독 가이드

We must **help** / our **chil**dren / **build good** character.

boost one's self-esteem

자존감을 높여주다

**Do whatever you can
to boost your child's self-esteem.**

아이의 자존감을 높여주기 위해서
할 수 있는 일이라면 뭐든 것을 다 해봐요.

🎤 강세 · 청킹 낭독 가이드

Do what**ever** you **can** /
to **boost** / your **child's** / self-esteem.

give it some thought

심사숙고하다, 고심하다

After giving it some thought,
I decided not to buy it.

고심 끝에, 나는 그것을 구매하지 않기로 마음먹었다.

 강세·청킹 낭독 가이드

After giving it some **thought**, /
I dec**ided** / **not** to buy it.

make all the difference in the world

매우 중요하다, 큰 효과가 있다

**A note in your kid's lunchbox
can make all the difference in the world.**

아이 도시락 통에 넣어주는 쪽지 한 장이
매우 중요해요.

 강세·청킹 낭독 가이드

A **note** / in your kid's **lunchbox** /
can make **all** the **difference** / in the **world**.

tune in to
~을 청취하다, ~을 시청하다

**Tuning in to EBS programs
is a daily routine for me.**

EBS 방송을 청취하는 것은
나에게는 규칙적 일상이다.

🎤 강세·청킹 낭독 가이드

Tuning **in** / to **EBS** programs /
is a **daily routine** / for me.

just what the doctor ordered

딱 제격인 것, 딱 필요한 것

Home workouts are just what the doctor ordered.

홈트레이닝은 딱 제격이다.

 강세 · 청킹 낭독 가이드

Home workouts / are **just** /
what the **doct**or ordered.

get tested for COVID

코로나 검사를 받다

It was the third time
I got tested for COVID-19.

그것이 내가 코로나19 검사를 받은 지 세번째였다.

 강세·청킹 낭독 가이드

It was the **third** time /
I got **tested** / for **COVID-19.**

have a stronger immune system

더 강한 면역체계를 가지고 있다

Children who grow up with pets have a stronger immune system.

반려동물과 함께 성장한 아이들은
면역체계가 더 강하다.

 강세·청킹 낭독 가이드

Children / who grow **up** / with **pets** /
have a **strong**er / im**mune** system.

get a lump in my throat

울컥하다

I got a lump in my throat reading the text message.

나는 그 문자 메시지를
읽으면서 울컥했다.

 강세·청킹 낭독 가이드

I got a lump / in my throat /
reading the text message.

share one's expertise

자신의 전문성을 공유하다

Social media allows people to share their expertise.

SNS는 사람들이 자신의 전문성을
공유할 수 있게 해준다.

 강세·청킹 낭독 가이드

Social media / allows people /
to share / their expertise.

get on in years

나이가 들어가다

My mom is
getting on in years.

우리 어머니는 연로해지고 계시다.

 강세·청킹 낭독 가이드

My **mom** / is getting **on** / in **years**.

connect with like-minded people

생각이 비슷한 사람들과 소통하다

You can connect with like-minded people **on social media.**

SNS 상에서 생각이 비슷한 사람들과 소통할 수 있다.

 강세·청킹 낭독 가이드

You can connect /

with like-minded people / on social media.

have its drawbacks
나름대로의 단점이 있다

Living in a big city
has its drawbacks.

대도시에 거주하는 것은 나름대로의 단점들이 있다.

 강세 · 청킹 낭독 가이드

Living in a **big** city / has its **draw**backs.

better work-life balance

더 나은 일과 삶의 균형

Some people make career changes for better work-life balance.

일부 사람들은 더 나은 일과 삶의 균형을 위해
진로를 변경한다.

 강세 · 청킹 낭독 가이드

Some people / make career changes /
for better / work-life balance.

go on school runs
아이들을 등하교 시키다

My mom goes on school runs
for my kids.

우리 어머니가 아이들 등하교를 시켜주신다.

 강세·청킹 낭독 가이드

My **mom** / **goes** on **school** runs /
for my **kids.**

take the plunge

큰 결심을 하다, 큰 결단을 내리다

Evaluate your current job satisfaction before you take the plunge.

큰 결심을 하기 전에
자신의 현재 직업에 대한 만족도를 가늠해 보세요.

 강세·청킹 낭독 가이드

Evaluate / your current job satisfaction / before you take the plunge.

go on
childcare leave

육아휴직을 하다

**I went on childcare leave
for a year.**

나는 1년간 육아휴직을 냈다.

 강세·청킹 낭독 가이드

I went on childcare leave / for a year.

share one thing in common

한 가지 공통점이 있다

**Despite our differences,
we do** share one thing in common.

우리가 여러 면에서 다르지만,
한 가지 공통점이 있기는 하다.

 강세·청킹 낭독 가이드

Despite our differences, /
we do share / one thing in common.

pose a major threat to

~에 큰 위협을 제기하다

Obesity poses a major threat to **public health.**

비만은 국민 건강에 큰 위협을 제기한다.

 강세·청킹 낭독 가이드

Obesity / **poses** a **ma**jor threat /
to **pub**lic health.

at the crack of dawn

꼭두새벽에

I have been getting up
at the crack of dawn **these days.**

나는 요즘 꼭두새벽에 일어나고 있다.

 강세·청킹 낭독 가이드

I have been getting **up** /
at the **crack** of **dawn** / these days.

raise awareness

인식을 제고시키다

We need to raise public awareness about environmental issues.

환경 문제에 대한 대중의 인식을
제고시킬 필요가 있다.

강세·청킹 낭독 가이드

We **need** to / raise **public**
awareness / about environmental **issues**.

a life-long task

평생과제

Maintaining a healthy weight is a life-long task.

건강한 체중을 유지하는 것은 평생과제이다.

 강세 · 청킹 낭독 가이드

Maintaining a **healthy** weight /
is a **life-long** / **task**.

a tough decision (to make)

(내리기) 힘든 결정

Quitting my job was surely
a tough decision to make.

일을 그만두는 것은
내리기 힘든 결정이었다.

 강세·청킹 낭독 가이드

Quitting my job / was surely /
a tough decision to make.

a crash diet

급 다이어트

Going on a crash diet can have various side effects.

급 다이어트를 하는 것은
다양한 부작용을 일으킬 수 있다.

 강세·청킹 낭독 가이드

Going on a **crash** diet /
can have **various** / **side** effects.

get by on
~로 간신히 버티다

I had to get by on painkillers after my 3rd vaccine shot.

나는 3차 백신접종 이후에 진통제로 간신히 버텼다.

 강세·청킹 낭독 가이드

I **had** to get **by** / on **pain**killers /
after my **3rd** / **vaccine** shot.

shed some pounds

살을 조금 빼다

**I want to shed some pounds
before summer comes around.**

나는 여름이 오기 전에
살을 조금 빼고 싶어.

 강세·청킹 낭독 가이드

I **want** to / **shed** some **pounds** /
before **summer** comes **around**.

take time off from work

일을 쉬다, 휴직을 하다

I felt like I needed to take time off from work.

나는 일을 잠시 쉬어야겠다는 생각이 들었다.

 강세·청킹 낭독 가이드

I felt like / I needed to take
time off / from work.

small business owner

자영업자, 영세사업자

Small business owners **have taken the biggest hit.**

자영업자들이 가장 큰 타격을 입었다.

 강세·청킹 낭독 가이드

Small business owners / have taken /
the biggest hit.

AUGUST

be all over the place

천차만별이다, 사방팔방에 있다

Vaccination rates around the world are all over the place.

전 세계 각 지역마다 백신 접종률은 천차만별이다.

 강세·청킹 낭독 가이드

Vaccination rates / around the **world** /
are **all** / over the **place**.

it has been ages since

~한지 한참 되었다

**It has been ages since
I got a routine physical.**

내가 정기 건강검진을 받은 지 한참 되었다.

 강세·청킹 낭독 가이드

It has been **ages** / since I **got** /
a rou**tine** physical.

JUNE

newly-coined word

신조어

**The name "webtoon"
is a newly-coined word.**

"웹툰"이라는 이름은 신조어이다.

 강세·청킹 낭독 가이드

The **name** "**web**toon" /
is a **new**ly-coined word.

me time

나만의 시간

We all need some me time from time to time.

우리 모두는 때때로 나만의 시간이 필요하다.

강세 · 청킹 낭독 가이드

We all / need some me time /
from time to time.

on the double

즉각적으로, 신속하게

We need to do something about this problem on the double.

우리는 이 문제에 대해
신속하게 조치를 취해야 할 필요가 있다.

 강세·청킹 낭독 가이드

We **need** to **do** something /
about this **problem** / on the **double**.

ring in the New Year

새로운 한 해를 맞이하다

People ring in the New Year **by promising to be better.**

사람들은 더 발전하겠다는 다짐을 하며 새해를 맞이한다.

 강세·청킹 낭독 가이드

People ring in / the New **Year** / by **promising** / to be **better.**

for the time being

당분간

I can take care of the kittens
for the time being.

내가 이 새끼 고양이들을 당분간 임시보호할 수 있다.

 강세·청킹 낭독 가이드

I can **take** care of the **kit**tens /
for the time **being**.

the real trick

진짜 비결

The real trick **is sticking with it.**

진짜 비결은 포기하지 않는 것이다.

 강세·청킹 낭독 가이드

The **real** trick / is **stick**ing with it.

be put down

안락사 시키다

Rescue animals are put down
if they aren't adopted.

구조동물들이 입양되지 않으면
안락사를 당한다.

 강세·청킹 낭독 가이드

Rescue animals / are put **down** /
if they **aren't** / adopted.

the real key to success

성공의 핵심 열쇠

The real key to success **is consistency.**

성공의 핵심 열쇠는 꾸준함이다.

 강세·청킹 낭독 가이드

The **real** key / to **success** / is **consis**tency.

dress up as

~로 차려입다, ~로 분장을 하다

Kids dress up as ghosts or witches on Halloween.

아이들은 할로윈 때
유령이나 마녀로 분장을 한다.

 강세·청킹 낭독 가이드

**Kids dress up / as ghosts /
or witches / on Halloween.**

make a to-do list

해야 할 일의 목록을 작성하다

I always make a to-do list in the morning.

나는 매일 아침 해야 할 일의 목록을 작성한다.

 강세 · 청킹 낭독 가이드

I always / make a to-do list / in the morning.

find out by chance

우연히 깨닫다

We found out by chance
that we live close by.

우리가 근처에 산다는 것을 우연히 알게 되었다.

 강세·청킹 낭독 가이드

We found **out** / by **chance** /
that we **live** / close **by.**

step on the scale

체중계에 올라가다

Stepping on the scale each morning can help.

아침마다 체중계에 올라가는 것이 도움이 될 수 있다.

 강세·청킹 낭독 가이드

Stepping on the scale / each morning / can help.

be pushed back a year

1년 연기되다

The Expo was pushed back a year **due to the pandemic.**

팬데믹 때문에
엑스포가 1년 연기되었다.

 강세·청킹 낭독 가이드

The Expo / was pushed **back** a **year** /
due to the pandemic.

the main culprit

주범, 주된 원인

**Greasy foods are one of
the main culprits of weight gain.**

기름진 음식이
체중 증가의 주범 중에 하나이다.

 강세·청킹 낭독 가이드

Greasy foods /
are **one** of the **main** culprits / of **weight** gain.

hype up
홍보하고 알리다

Companies hold various events to hype up their new products.

기업들은 자사 신제품을 홍보하고 알리기 위해
다양한 행사를 한다.

 강세·청킹 낭독 가이드

Companies / hold various events /
to hype up / their new products.

one way or another

어떻게든, 어떤 방식으로든

Their relationship will end
one way or another.

그들 관계는 어떤 방식으로든 끝이 날 것이다.

 강세·청킹 낭독 가이드

Their relationship / will **end** /
one way or another.

a better tomorrow
더 나은 미래

We need to give our next generation
a better tomorrow.

우리는 다음 세대에게
더 나은 미래를 물려주어야 해요.

강세·청킹 낭독 가이드

We **need** to /
give our **next** generation / a **better** to**mor**row.

wreak havoc on

큰 피해를 유발하다, 대혼란을 야기하다

Single-use plastics continue to wreak havoc on **the environment.**

일회용 플라스틱은 지속적으로
환경에 큰 피해를 유발하고 있다.

🎤 강세·청킹 낭독 가이드

Single-use plastics /

continue to **wreak** havoc / on the environment.

come as a surprise

의외의 사실로 다가오다

I think it came as a surprise for him.

그것이 그에게는 조금 의외였던 것 같아요.

 강세·청킹 낭독 가이드

I think / it came as a surprise / for him.

get a foothold

발판을 마련하다

**We need to help businesses
get a foothold in overseas markets.**

우리는 기업들이 해외시장에 진출할 수 있게 도와야 한다.

 강세 · 청킹 낭독 가이드

We **need** to / help **businesses** /
get a **foothold** / in overseas **markets.**

bring along

같이 데리고 가다/오다

You can bring along your kids if you want.

원하면 아이들을 데리고 와도 됩니다.

 강세·청킹 낭독 가이드

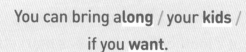

You can bring along / your kids / if you want.

is no walk in the park

결코 쉬운 일이 아니다

Raising kids while working
is no walk in the park.

일을 하면서 아이들을 기르는 것은
결코 쉬운 일이 아니다.

 강세·청킹 낭독 가이드

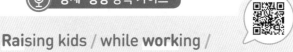

Raising kids / while **working** /
is no **walk** / in the **park**.

not out of the woods

아직 힘든 시기가 끝나지 않은

We are definitely
not out of the woods yet.

아직 힘든 시기가 완전히 다 끝난 것은 확실히 아니다.

 강세·청킹 낭독 가이드

We are definitely / not /
out of the woods / yet.

line of work

직군, 직종

What line of work are you in?

어떤 직종에 계세요? / 어떤 일하세요?

 강세·청킹 낭독 가이드

What line of work / are you in?

turn our lives upside down

우리의 삶을 발칵 뒤집어 놓다

The pandemic
turned our lives upside down.

팬데믹은 우리의 삶을 발칵 뒤집어 놓았다.

 강세·청킹 낭독 가이드

The pandemic / turned our lives /
upside down.

brush up on

갈고 닦다, 연마하다

I'm trying to brush up on
my English skills.

나는 영어실력을 갈고 닦으려고 노력하고 있다.

 강세 · 청킹 낭독 가이드

I'm trying to / brush **up** / on my En**gli**sh skills.

a bit of a drive
차로 제법 가야 하는 거리

**It was a bit of a drive,
but it wasn't too bad.**

차로 제법 가야 하는 거리이기는 했는데,
그렇게 힘들지는 않았어.

 강세·청킹 낭독 가이드

It was / a **bit** of a **drive**, /
but it **wasn't** / too bad.

feel the same way

같은 심정이다

**I felt the same way
after having my own children.**

내가 직접 아이들을 낳고 나서 같은 심정이었다.

 강세·청킹 낭독 가이드

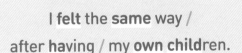 I **felt** the **same** way /
after **having** / my **own child**ren.

first come, first served

선착순

You guys should hurry!
It's first come, first served.

너희들 서둘러! 선착순이야.

 강세·청킹 낭독 가이드

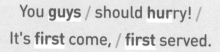
You guys / should hurry! /
It's first come, / first served.

look out for

챙기다

My parents have always
looked out for **us.**

우리 부모님은 우리를 항상 잘 챙겨주셨다.

 강세·청킹 낭독 가이드

My parents have always / looked out / for us.

a big time-saver

시간을 많이 절약해주는 것

The air fryer can be
a big time-saver when you cook.

음식을 할 때 에어프라이어는
시간 절약을 많이 해준다.

 강세·청킹 낭독 가이드

The air fryer / can be a big /
time-saver / when you cook.

serve as an opportunity

계기가 되다

It serves as an opportunity **to give back to our local community.**

우리 지역사회에 역으로 기여할 수 있는
계기를 만들어 준다.

 강세·청킹 낭독 가이드

It **serves** / as an opportunity /
to give **back** / to our local community.

a lifesaver

정말 큰 도움이 되는 것, 구세주

**Meal kits are a lifesaver
when I'm pressed for time.**

시간에 쫓길 때는
밀키트가 정말 큰 도움이 된다.

 강세·청킹 낭독 가이드

Meal kits / are a lifesaver /
when I'm pressed / for time.

just the place

딱 적합한 장소

It is just the place **for family picnics.**

가족과 소풍을 가기 딱 좋은 장소이다.

 강세·청킹 낭독 가이드

It is just the place / for family picnics.

where I'm coming from

나의 의중, 본래 의도

Can you see
where I'm coming from?

내 의중을 이해할 수 있겠어요?

 강세 · 청킹 낭독 가이드

Can you see /
where I'm coming from?

feel bad for

~가 불쌍하다, 안타깝다

I feel bad for **kids who had to take classes from home for so long.**

너무 오랜 기간 집에서 수업을
받아야 했던 아이들이 안쓰럽다.

 강세·청킹 낭독 가이드

I feel **bad** / for **kids** / who **had** to /
take **classes** from **home** / for **so** long.

behind the times

요즘 세상에 맞지 않는, 시대에 뒤떨어진

**I often feel like
he is** behind the times.

그가 시대에 뒤떨어진 것 같다는
느낌이 자주 든다.

 강세·청킹 낭독 가이드

I **often feel** like /
he is be**hind** the **times.**

JUNE **19**

in-person classes

대면 수업

Schools have fully resumed in-person classes.

일선 학교들이 대면 수업을 전면 재개했다.

🎤 강세·청킹 낭독 가이드

Schools / have **fully** re**sumed** / in-person classes.

be new to

~은 처음 경험해 보다

I am new to this type of platform.

이런 유형의 플랫폼은 처음 경험해 봅니다.

 강세·청킹 낭독 가이드

I am **new** / to **this** type of **platform**.

struggle with

~와 씨름하다, ~하느라 고생하다

Most people have struggled with **English all their life.**

대부분의 사람들이 평생 영어와 씨름을 해왔다.

 강세 · 청킹 낭독 가이드

Most people /
have **struggled with Eng**lish / all their **life.**

binge eating

폭식

One side effect of stress can be binge eating.

스트레스의 부작용 중에 하나는 폭식일 수 있다.

 강세·청킹 낭독 가이드

One side effect / of stress /
can be / binge eating.

fully-vaccinated against

~에 대해 백신접종을 완료한

95% of Koreans are now fully-vaccinated against **COVID-19.**

대한민국 국민의 95%가
이제 코로나19 백신접종을 마친 상태이다.

 강세·청킹 낭독 가이드

95% of Koreans /
are **now fully-vaccinated** / against **COVID-19.**

take a lot of work

많은 노력이 요구되다

Losing weight
takes a lot of work.

살을 빼는 것은 많은 노력이 필요하다.

 강세·청킹 낭독 가이드

Losing weight / takes a lot of work.

breakthrough infection

돌파감염

There used to be
a lot of breakthrough infections.

돌파감염 사례들이 제법 많았었다.

 강세·청킹 낭독 가이드

There **used** to be /
a **lot** of **break**through infections.

burn a lot of calories

열량 소모를 많이 하다

You can burn a lot of calories **when you dance.**

춤을 출 때 열량 소모를 많이 할 수 있다.

 강세·청킹 낭독 가이드

You can **burn** / a **lot** of calories /
when you **dance.**

take precautions
주의를 기울이다, 예방조치를 취하다

We need to take precautions
especially due to the new variants.

새로운 변이종들 때문에 각별히 주의를 해야 한다.

 강세 · 청킹 낭독 가이드

We **need** to / take precautions /
especially due to / the **new** variants.

get into shape

몸매를 가꾸다, 체력을 키우다

**I am working out very hard
to get into shape.**

나는 몸매를 가꾸기 위해서
열심히 운동을 하고 있다.

 강세·청킹 낭독 가이드

I am working **out** / **very** hard /
to get into **shape**.

fill out
a questionnaire

설문지를 작성하다

**You need to fill out a questionnaire
to get your MBTI personality type.**

MBTI 성격유형 결과를 받으려면,
설문지를 작성해야 한다.

 강세·청킹 낭독 가이드

You **need** to / fill **out** a questio**nn**aire /
to **get** your **MBTI** / perso**na**lity type.

(one's eyes) get puffy

(눈이) 붓다

My eyes often get puffy in the morning.

아침에 눈이 붓는 경우가 자주 있다.

 강세·청킹 낭독 가이드

My eyes / often get puffy /
in the morning.

pitch in
돕다, 거들다

**Men should pitch in
and do more household chores.**

남자들이 집안일을 조금 더 하며 거들어야 한다.

 강세·청킹 낭독 가이드

Men should pitch **in** / and do **more** /
household chores.

practice caution

각별히 주의하다

The only solution
is to practice caution at all times.

유일한 해법은 항시
각별한 주의를 기울이는 방법뿐이다.

 강세·청킹 낭독 가이드

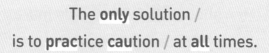

The **only** solution /
is to **practice caution** / at **all** times.

stay on one's toes

긴장을 늦추지 않다

You have to stay on your toes
at all times.

항상 긴장을 늦춰서는 안 된다.

 강세·청킹 낭독 가이드

You **have to** / **stay** on your **toes** / at **all** times.

fall victim to

~에 피해를 입다, 희생양이 되다

Many people fall victim to smishing schemes these days.

요즘 스미싱 사기에 피해를 보는 사람들이 많다.

 강세·청킹 낭독 가이드

Many people / fall **victim** to / smishing schemes / **these** days.

choke back tears

울분을 삼키다

My son chokes back tears
when he loses a game.

우리 아들은 게임에서 지면
막 울려고 한다.

 강세 · 청킹 낭독 가이드

My **son** / **chokes** back **tears** /
when he **loses** / a **game.**

a sense of attachment

정, 애착

It's easy to develop a sense of attachment **to things and places.**

사물이나 장소에 정이 드는 것은
쉽게 일어날 수 있는 일이다.

 강세·청킹 낭독 가이드

It's **easy** to / **develop** a **sense** of
at**tach**ment / to **things** / and **places**.

plead with someone

~에게 조르다

He often pleads with me to give him more cookies.

그는 쿠키를 더 달라고
나에게 자주 조른다.

 강세·청킹 낭독 가이드

He **often** / **pleads** with me /
to **give** him / more **cookies**.

cutting edge technology

최첨단 기술

Self-driving vehicles make use of various types of cutting edge technology.

자율주행 차량들은 다양한 최첨단 기술을 활용한다.

 강세·청킹 낭독 가이드

Self-driving vehicles / make use of / various types of / cutting edge technology.

be a bit tricky

다소 까다롭다

**Several questions
in the test** were a bit tricky.

시험에 일부 문제들이 조금 까다로웠다.

 강세·청킹 낭독 가이드

Several **ques**tions /
in the **test** / were a **bit** / tricky.

in one's age group

같은 연령대의

It's always fun to mingle with people in your age group.

같은 연령대의 사람들과 어울리는 것은
항상 즐겁다.

 강세·청킹 낭독 가이드

It's always **fun** / to **min**gle with
people / in your **age** group.

have mobility issues

거동이 불편하다

When people get old, they often have mobility issues.

나이가 들면, 거동이 불편해지는 경우가 흔하다.

 강세 · 청킹 낭독 가이드

When **people** get **old**, /
they **often** / have mobility issues.

JULY